# ASTROLOGIA DA DEPRESSÃO

Mariana Fernandes

# ASTROLOGIA DA DEPRESSÃO

Tudo o que você NÃO gostaria de saber sobre o seu signo, mas resolvemos contar assim mesmo

Editora
Pensamento
SÃO PAULO

Copyright © 2017 Mariana S. Fernandes Alves.

1ª edição 2019.

Ilustrações de Carolina Mylius.

Todos os direitos reservados. Nenhuma parte deste livro pode ser reproduzida ou usada de qualquer forma ou por qualquer meio, eletrônico ou mecânico, inclusive fotocópias, gravações ou sistema de armazenamento em banco de dados, sem permissão por escrito, exceto nos casos de trechos curtos citados em resenhas críticas ou artigos de revista.

A Editora Pensamento não se responsabiliza por eventuais mudanças ocorridas nos endereços convencionais ou eletrônicos citados neste livro.

**Editor:** Adilson Silva Ramachandra
**Editora de texto:** Denise de Carvalho Rocha
**Gerente editorial:** Roseli de S. Ferraz
**Produção editorial:** Indiara Faria Kayo
**Editoração eletrônica:** Join Bureau

Dados Internacionais de Catalogação na Publicação (CIP)
(Câmara Brasileira do Livro, SP, Brasil)

Fernandes, Mariana
  Astrologia da depressão: tudo o que você não gostaria de saber sobre o seu signo, mas resolvemos contar assim mesmo / Mariana Fernandes. – São Paulo: Pensamento, 2019.

  Bibliografia.
  ISBN 978-85-315-2053-2

  1. Astrologia 2. Esoterismo 3. Signos e símbolos 4. Zodíaco I. Título.

19-23759            CDD-133.5

Índices para catálogo sistemático:
1. Astrologia 133.5
Cibele Maria Dias – Bibliotecária – CRB-8/9427

Direitos reservados
EDITORA PENSAMENTO-CULTRIX LTDA
Rua Dr. Mário Vicente, 368 – 04270-000 – São Paulo – SP
Fone: (11) 2066-9000
http://www.editorapensamento.com.br
E-mail: atendimento@editorapensamento.com.br
Foi feito o depósito legal.

# Dedicatória

Aos meus pais, Madiana e Odair – meus geminianos favoritos e as verdadeiras estrelas da minha vida.

# Sumário

Prefácio .................................................................................................... 17

Introdução: A Astrologia e os Doze Signos ........................................... 19

Nota da Astróloga Depressiva sobre as Dignidades e Debilidades Planetárias........ 24

## PARTE I: O Lado *Bad* dos Doze Signos

**Capítulo 1: Áries** ..................................................................................... 28
    Cuidado, cão bravo! ............................................................................ 29
        O eu ariano ....................................................................................... 29
    A paciência é como o dinheiro: não tenho e, quando tenho, desaparece rápido....... 29
        O ariano, as finanças e a vida profissional ................................... 29
    Mexeu com você, mexeu comigo! .................................................... 30
        O ariano, a família e os amigos ..................................................... 30
    Fogo de palha ...................................................................................... 31
        O ariano e os relacionamentos ...................................................... 31

Rasgo o verbo para não rasgar o sujeito .................................................. 32
    O ariano, a comunicação e os talentos ........................................ 32
Saindo da *bad* ............................................................................................ 32
    O ariano na via positiva ................................................................ 32

## Capítulo 2: Touro .................................................................................. 34

Teimoso é quem teima comigo! ............................................................. 35
    O eu taurino ................................................................................... 35
Se tempo fosse dinheiro, os relógios seriam milionários! ..................... 36
    O taurino, as finanças e a vida profissional ................................. 36
O que é seu é meu e o que é nosso é meu também ............................. 37
    O taurino, a família e os amigos .................................................. 37
Casa, comida e roupa jogada ................................................................. 37
    O taurino e os relacionamentos .................................................... 37
Não é preguiça, é redirecionamento estratégico de energia vital ........ 38
    O taurino, a comunicação e os talentos ...................................... 38
Saindo da *bad* ............................................................................................ 39
    O taurino na via positiva ............................................................... 39

## Capítulo 3: Gêmeos ............................................................................... 42

Odeio ser bipolar, mas é tão divertido! ................................................ 43
    O eu geminiano ............................................................................ 43
Se o dinheiro falasse, ele diria "hasta la vista, baby"! .......................... 43
    O geminiano, as finanças e a vida profissional .......................... 43
O que dizer de você que mal conheço e já considero "pakas"? .......... 44
    O geminiano, a família e os amigos ............................................ 44
Romance bom é o que tem papo bom .................................................. 45
    O geminiano e os relacionamentos .............................................. 45
Penso, logo hesito ................................................................................... 46
    O geminiano, a comunicação e os talentos ................................ 46
Saindo da *bad* ............................................................................................ 46
    O geminiano na via positiva ......................................................... 46

## Capítulo 4: Câncer ............................................................................ 48
### Antiquado, não: retrô! ................................................................... 49
#### O eu canceriano .......................................................................... 49
### Não quero dinheiro, eu só quero amar ............................................ 49
#### O canceriano, as finanças e a vida profissional ............................. 49
### Família quer dizer nunca abandonar ou esquecer .......................... 50
#### O canceriano, a família e os amigos ............................................. 50
### Pode perturbar à vontade .............................................................. 51
#### O canceriano e os relacionamentos ............................................. 51
### Fala que eu te escuto! ................................................................... 52
#### O canceriano, a comunicação e os talentos ................................ 52
### Saindo da *bad* ............................................................................. 52
#### O canceriano na via positiva ....................................................... 52

## Capítulo 5: Leão ............................................................................. 54
### *Status*: brilhando .......................................................................... 55
#### O eu leonino ................................................................................ 55
### Manda quem pode, obedece quem tem juízo ................................ 55
#### O leonino, as finanças e a vida profissional ................................. 55
### Parabéns a você que aprecia a minha grandeza! ........................... 56
#### O leonino, a família e os amigos .................................................. 56
### Se você não gosta de mim é porque tem mau gosto ...................... 57
#### O leonino e os relacionamentos .................................................. 57
### Só me enganei quando pensei ter me enganado ........................... 58
#### O leonino, a comunicação e os talentos ...................................... 58
### Saindo da *bad* ............................................................................. 58
#### O leonino na via positiva ............................................................. 58

## Capítulo 6: Virgem .......................................................................... 60
### Porque sim não é resposta! ........................................................... 61
#### O eu virginiano ............................................................................ 61
### Servir bem para servir sempre ....................................................... 61
#### O virginiano, as finanças e a vida profissional ............................. 61

Todo mundo tem um irmão meio zarolho ............................................................. 62
    O virginiano, a família e os amigos ................................................... 62
Há vagas: procura-se profissionais qualificados ........................................... 63
    O virginiano e os relacionamentos .................................................... 63
Não coloco defeitos em ninguém, só comento ........................................... 64
    O virginiano, a comunicação e os talentos ........................................ 64
Saindo da *bad* .......................................................................................... 64
    O virginiano na via positiva ................................................................ 64

## Capítulo 7: Libra .................................................................................. 66

Os feios que me perdoem, mas beleza é fundamental ................................ 67
    O eu libriano ....................................................................................... 67
Dica de beleza: tenha dinheiro .................................................................. 67
    O libriano, as finanças e a vida profissional ...................................... 67
Fundamental é mesmo o amor. É impossível ser feliz sozinho ................... 68
    O libriano, a família e os amigos ....................................................... 68
Teoria da Branca de Neve: por que ter só um se eu posso ter sete? ........... 69
    O libriano e os relacionamentos ........................................................ 69
Se não souber dizer uma coisa agradável, então não diga nada ................. 70
    O libriano, a comunicação e os talentos ........................................... 70
Saindo da *bad* .......................................................................................... 70
    O libriano na via positiva ................................................................... 70

## Capítulo 8: Escorpião ......................................................................... 72

Não guardo mágoa, guardo nomes ............................................................ 73
    O eu escorpiano .................................................................................. 73
Não me jogue indiretas, me jogue moedas de ouro! .................................. 73
    O escorpiano, as finanças e a vida profissional ................................ 73
Diga-me com quem andas e eu te direi de quem sinto ciúmes ................... 74
    O escorpiano, a família e os amigos .................................................. 74
Te odeio, e isso é o amor! ......................................................................... 75
    O escorpiano e os relacionamentos ................................................... 75

Para bom paranoico, meia palavra basta ............................................................ 76
    O escorpiano, a comunicação e os talentos ................................................ 76
Saindo da *bad*............................................................................................................ 76
    O escorpiano na via positiva ............................................................................. 76

## Capítulo 9: Sagitário .................................................................................. 78
Como é bom ser vida *loka* ...................................................................................... 79
    O eu sagitariano .................................................................................................... 79
Gasto metade do meu salário em diversão e a outra metade em bebidas. O resto eu desperdiço ........................................................................................................ 79
    O sagitariano, as finanças e a vida profissional ............................................. 79
Alegria compartilhada, alegria redobrada ............................................................. 80
    O sagitariano, a família e os amigos ................................................................. 80
Procura-se parceiro engraçado; gente séria é um tédio ...................................... 81
    O sagitariano e os relacionamentos ................................................................. 81
A incoerência inverossímil é a antropofagia biovilesca, não acham? ............... 82
    O sagitariano, a comunicação e os talentos .................................................... 82
Saindo da *bad*............................................................................................................ 82
    O sagitariano na via positiva ............................................................................. 82

## Capítulo 10: Capricórnio ............................................................................ 84
Todos os meus movimentos são friamente calculados ...................................... 85
    O eu capricorniano .............................................................................................. 85
Simpatia para ganhar dinheiro: acorde cedo e vá trabalhar ............................... 85
    O capricorniano, as finanças e a vida profissional ........................................ 85
Lar é uma construção de valores e princípios ...................................................... 86
    O capricorniano, a família e os amigos ........................................................... 86
Declaração, só a do imposto de renda .................................................................. 87
    O capricorniano e os relacionamentos ........................................................... 87
Vende-se cola para corações partidos .................................................................. 88
    O capricorniano, a comunicação e os talentos .............................................. 88
Saindo da *bad*............................................................................................................ 88
    O capricorniano na via positiva ........................................................................ 88

**Capítulo 11: Aquário** ............................................................................................... 90
    Me obrigue! ........................................................................................................... 91
        O eu aquariano ............................................................................................... 91
    Dinheiro não faz a minha cabeça, ela é que faz dinheiro! ............................................. 91
        O aquariano, as finanças e a vida profissional ................................................... 91
    A sorte faz os parentes, a escolha faz os amigos e a união faz a força ......................... 92
        O aquariano, a família e os amigos .................................................................. 92
    Penso, logo sou solteiro ......................................................................................... 93
        O aquariano e os relacionamentos .................................................................... 93
    Pensamento: ou entra na minha linha, ou sai da minha reta ........................................ 94
        O aquariano, a comunicação e os talentos ........................................................ 94
    Saindo da *bad* ...................................................................................................... 94
        O aquariano na via positiva ............................................................................. 94

**Capítulo 12: Peixes** ................................................................................................. 96
    Ninguém tem paciência comigo ............................................................................. 97
        O eu pisciano ................................................................................................. 97
    Se tudo que vai, volta, meu dinheiro se perdeu no caminho ........................................ 97
        O pisciano, as finanças e a vida profissional ...................................................... 97
    O essencial é invisível aos olhos ............................................................................. 98
        O pisciano, a família e os amigos ..................................................................... 98
    Vivo de rolos: gosto das pessoas que me enrolam .................................................... 99
        O pisciano e os relacionamentos ...................................................................... 99
    Não estou dormindo, estou pensando! .................................................................. 100
        O pisciano, a comunicação e os talentos ........................................................ 100
    Saindo da *bad* .................................................................................................... 100
        O pisciano na via positiva .............................................................................. 100

# PARTE II: A culpa é das estrelas

A culpa não é minha. É do meu signo. Relatos da vida real (ou não) ................... 105

**Capítulo 13:**   Os Signos e o Juízo Final – Como cada signo prestaria contas
                 ao Todo-Poderoso? ................................................................... 107

**Capítulo 14:** O Bêbado de cada Signo – Quem chora, quem dá show, quem liga para o ex...? ............................................................. 113

**Capítulo 15:** A "Deprê" de cada Signo – Manual de sobrevivência para quem levou um pé na bunda ............................................................. 117

**Capítulo 16:** Como se Comporta cada Signo na Internet ............................. 123

**Capítulo 17:** Como Lidar com o Colega de Trabalho de cada Signo ............... 137

**Capítulo 18:** Os Signos num Velório – Como cada signo demonstra sua dor ......... 141

**Capítulo 19:** Seu *Crush* Segundo a Astrologia – Dicas básicas para transformar o paquera em namorado ................................................ 147

**Capítulo 20:** Os Signos na Entrevista de Emprego – Como cada um responde às perguntas do recrutador? ................................................. 157

**Capítulo 21:** Alguém Morreu – Como cada signo dá uma notícia dessas? ........... 161

**Capítulo 22:** O Divórcio de cada Signo – Saiba como cada um aprendeu a dizer adeus! ......................................................................... 167

**Capítulo 23:** Os Signos Depois da Fama – Cada um tem seu jeito de brilhar, qual é o seu? .................................................................... 171

**Considerações Finais:** Como sair da *bad* estudando mais astrologia como forma de autoconhecimento ....................................................... 177

**Apêndice:** Como Interpretar seu Mapa Astral ........................................... 179

**Bibliografia Recomendada** ............................................................. 189

**Referências Bibliográficas** ............................................................ 191

Se seguires a tua estrela,
não poderás deixar de atingir o teu glorioso porto.

– DANTE ALIGHERI

# Prefácio

Olá, achólogo em apuros. Meu nome é Mariana Fernandes, mas você deve me conhecer da Internet por "Astrólogo Depressivo". Permita que eu me apresente: sou quase trintona, tenho uma mãe meio esotérica que me ensinou tudo o que sei e tenho orgulho de ser a criadora da *Astrologia da Depressão* – a prova de que essa arte é muito mais surpreendente do que podemos imaginar. Afinal, consegui fazer humor mesmo sendo uma chatíssima virginiana com ascendente em Capricórnio.

A página da Astrologia da Depressão nasceu em 28 de outubro de 2012, de maneira completamente despretensiosa, e é fruto da minha incapacidade de ser improdutiva: eu estava desempregada e deprimida (o ascendente em Capricórnio manda beijos), e criar alguma coisa criativa era um jeito de me sentir menos insignificante.

A princípio, a ideia era simples: compartilhar piadas astrológicas com os amigos de um grupo de estudos de Astrologia no Facebook. No entanto, as brincadeiras popularizaram-se rapidamente e, como filha de "Chaturno", senti que tinha a responsabilidade de tornar a Astrologia da Depressão uma referência na internet por aliar humor ao conhecimento de Astrologia, ensinando e divertindo ao mesmo tempo.

A que atribuo o sucesso da Astrologia da Depressão? É simples: a Astrologia é uma arte que divide opiniões, mas desperta muita curiosidade – até o maior cético do mundo já desejou saber algo sobre seu signo, repetindo o clichê que muito astrólogo já ouviu: "Não acredito em Astrologia, mas o que você pode me dizer sobre Leão?". Meu papel junto à Astrologia da Depressão foi apenas atrair esse público através do humor e apresentá-lo para a técnica dessa arte milenar de autoconhecimento, lembrando que há um mundo mágico e infinitamente maior além do horóscopo diário dos jornais.

Agora, o livro *Astrologia da Depressão* chega para consolidar um trabalho que, desde o início, tem o objetivo de divertir sem deixar de instruir. Por isso espero que você ria muito e que esta seja sua porta de entrada para o estudo dessa imensidão que é a Astrologia.

Que tal saber mais sobre os signos, descobrindo como cada um deles se comportaria num velório, por exemplo? Um virginiano certamente desejaria saber os pormenores da doença. Um capricorniano, poderia ficar preocupado com o prejuízo causado pelo funeral. E um escorpiano, como seria? Será que conseguiria esconder o prazer que sente ao vivenciar situações fúnebres? Lendo este livro até o fim, você terá suas respostas!

Espero que você goste do que vai encontrar e que dê boas risadas com o lado podre e deprimente de cada signo.

— Mariana Fernandes, verão de 2019

# Introdução: A Astrologia e os Doze Signos

Embora tenha se popularizado por divertir e satisfazer a curiosidade despretensiosa dos "achólogos" em apuros, a Astrologia, na verdade, é um estudo milenar das estrelas e planetas, e dos seus efeitos sobre o comportamento humano. Através dessa arte, podemos fazer uma correspondência entre o céu e a Terra, compreendendo sua influência sobre as personalidades e os eventos. Mas não se trata apenas disso: a Astrologia, por tradição, nos ensina sobre as maravilhas da história das civilizações.

Ninguém sabe ao certo a data em que o zodíaco chinês foi criado e nem quando começou a ser utilizado, mas os primeiros registros oficiais datam da dinastia Han (206 a.C- 9 d.C), que existiu há mais de 2000 anos. Uma antiga lenda conta que, em seu leito de morte, o Buda chamou todos os animais para se despedir e somente doze vieram ao seu encontro, tornando-se então os símbolos da Astrologia Chinesa. Na Índia, essa arte tornou-se conhecida em meados de 1500 a.C, no período das invasões dos indo-europeus. Os astecas, por sua vez, conheciam uma forma de astrologia composta de vinte signos.

Todas essas culturas deram origem a escolas de Astrologia diferentes, mas igualmente ricas e fascinantes. E não são apenas as influências culturais as responsáveis por encantar os estudantes da Astrologia. Os apaixonados por essa arte a defendem porque ela é capaz de envolver a ciência, matemática, medicina, astronomia, psicologia, mitologia e simbolismo, oferecendo uma percepção da sociedade em toda sua complexidade.

Apesar de toda essa riqueza e complexidade, a Astrologia ainda é rejeitada por teólogos, céticos e cientistas. Como a alquimia e a magia, a arte da Astrologia é muitas vezes vista como algo obscuro e sinistro e, durante muito tempo, sua prática foi considerada um pecado, até mesmo uma heresia pela Igreja Católica. Na visão dos cientistas modernos, ela não passa de um estudo primitivo dos corpos celestes, que serviu como base para a Astronomia moderna, mas deve ser descartada como uma superstição ingênua.

A Astrologia que você verá neste livro é muito mais simples e certamente será posta à prova, mas não se engane: neste trabalho nada foi feito aleatoriamente. Ao apresentar o lado negro de cada signo de maneira bem-humorada, tenho a intenção de levar os leitores a uma reflexão mais profunda (ou não tão profunda) não da tal Astrologia milenar que mencionei anteriormente, mas da influência prática dos astros sobre cada signo, na vida cotidiana.

Você já reparou naquela pessoa que olha feio para quem anda mais devagar no metrô e, agressivamente, dá um esbarrão na criatura para entrar primeiro no trem? É um tipo patológico de ariano – bem diferente das descrições formais desse signo apresentadas pela Astrologia clássica.

E naquele cara que irrita o arianinho do metrô com seus passinhos lentos? Não seria ele um taurino do lado negro, adepto da filosofia "devagar e sempre", quer evitar a fadiga e acha melhor ir direto ao ponto, em vez de desperdiçar energia e tempo brigando por sabe-se lá o quê, como seu colega ariano? Nos livros tradicionais, isso não é descrito dessa maneira tão crua, não é mesmo?

Você também já deve ter ouvido falar por aí que geminianos são mentirosos crônicos. O que pouco se diz é que geminianos não mentem sobre coisas de grande importância, eles apenas se valem de mentirinhas brancas para deixar sua narrativa mais interessante, que pecado há nisso?

E o que dizer sobre o canceriano da vida real? Seria ele um sentimentaloide carente, que fala com voz de criancinha só para ganhar atenção? É bem verdade que esse tipo confunde zelo com grude e, quando desprezado, prepara seu melhor beicinho e usa de todo seu talento para fazer chantagem emocional para que o outro morra de culpa pela rejeição. Mesmo assim, não é bem mais comum encontrarmos o canceriano magoado, que relembra as discussões de dez anos atrás como se tivessem acontecido ontem?

O leonino do lado negro certamente acha que não há mal nenhum em se falar dele, porque é impossível colocar defeito em seres tão maravilhosos, magnânimos e perfeitos, não é mesmo? A autoestima leonina, quando mal trabalhada, ultrapassa o limite do aceitável e transforma-se numa arrogância insuportável, fazendo com que o leonino acredite que é melhor ser humano do mundo e, por isso, merece um busto de ouro e um hino em sua homenagem. Mas, no dia a dia, como essas características se manifestam?

O lado negro do virginiano na vida real nem sempre se manifesta na persona do "rei do TOC", que vive com um paninho na mão, limpando a sujeira e arrumando a bagunça. Muitas vezes, o lado obsessivo compulsivo de Virgem se manifesta em outras áreas. Na faculdade, por exemplo, o virginiano pode ser o colega que surta ao ter que fazer um trabalho em grupo, temendo que fique uma droga, que fulano escreva tudo errado, que ele tire nota baixa devido à falta de empenho e capricho do grupo etc. Outra versão conhecida é a do virginiano que, ao ter um defeito apontado, nega até a morte e sofre anos e anos por ter sido exposto de forma tão vexatória. Em geral, quando lemos sobre os virginianos em livros de Astrologia mais convencionais, só ficamos sabendo que esses nativos são perfeccionistas e críticos, não é? Mas essa seria apenas a metade da história.

O tipo mais comum de libriano "podrinho" da vida real é aquele que não consegue viver sozinho e, compulsivamente, despeja suas técnicas de Don Juan para cima de qualquer ser humano bem-vestido que passar na sua frente, porque mal gosto na opinião dele é um pecado imperdoável. É claro que os librianos não fazem isso por mal, o problema é que não conseguem sobreviver sem ter um parzinho. Afinal, como escolher entre um sapato marrom ou preto, um relógio de marca X ou Y, analógico ou digital, entre muitas outras coisas decisivas na vida de qualquer libriano que se preze, se não tiverem alguém ao seu lado para pedir opinião? (Mesmo que eles já tenham decidido, é claro.)

E os escorpianos? Como são retratados nos livros de Astrologia e como são na vida real? Um tipo clássico de escorpiano da via negativa é aquele que acredita piamente que as pessoas são cruéis e indignas de confiança. Desconfiados, os escorpianos colocam os que o cercam à prova o tempo todo a fim de testar sua lealdade e garantir que ninguém vai lhe passar a perna. Por serem dominadores, eles acreditam que, se fizerem vista grossa e abusarem do seu poder de persuasão, não poderão evitar que os enganem ou dominem.

O tipo mais conhecido de sagitariano é o do fanfarrão que toma decisões irresponsáveis devido ao seu excesso de otimismo e anseio de explorar o mundo em todas as suas possibilidades. Se você precisa de uma companhia pra farra? Pode contar com ele! O sagitariano bebe muito, festeja muito, está sempre buscando mais um carimbo no seu passaporte e é um ótimo contador de piadas. Só não o convide para coisas entediantes, tipo pedir um apoio no velório da sua avó de 98 anos (vamos falar mais sobre isso depois), ajudar a fazer a mudança para o seu novo ap. etc. Esse tipo detesta compromisso – e aposto que você só deve ter ouvido por aí sobre essa faceta da personalidade do sagitariano quando lê as descrições do lado negro desse signo, mas não é bem assim, tá?

O capricorniano do lado negro mais popular é aquele que vive de mau humor, reclama de tudo, é fã da reclusão e não suporta gente. Defensor da moral e dos bons costumes, ele impõe regras para tudo e certifica-se de que serão cumpridas – e isso pode acontecer até mesmo numa viagem de férias, num aniversário de criança ou num passeio ao zoológico. No entanto, o tipo de capricorniano mais insuportável – e menos conhecido – é aquele que, por excesso de foco e ambição, ignora todas as regras que ele mesmo criou a fim de alcançar seus objetivos, tornando-se um hipócrita mesquinho e ganancioso. Você já se deparou com esse tipo?

E o que dizer do verdadeiro aquariano? Dizem que ele é humanitário, pró-coletividade e defensor da liberdade de expressão, mas, na via negativa, pode contradizer um pouco tudo isso. O aquariano no lado negro pode ser humanitário, mas tem crises de reclusão que ninguém compreende. Defende a liberdade de expressão, desde que expressem aquilo em que ele acredita e... meu Deus, como é do contra! Se você gosta de verde, ele detesta verde. Você acha Rolling Stones uma superbanda? Ele acha que não. A verdade é que o aquariano no fundo pode até concordar com você, mas vai dizer que discorda só para testar sua capacidade de argumentação.

Por fim, falemos do pisciano. Você já deve ter ouvido falar que o verdadeiro pisciano é do tipo crédulo – ele acredita em Deus, na Fada do Dente, em gnomos... em qualquer coisa. O problema é que sua credulidade nunca tem fim! O pisciano da via negativa simplesmente não questiona o que ouve, pois seu excesso de ingenuidade o faz crer que tudo é possível. Outra versão comum de pisciano é a do escapista, que perde o contato com a realidade e vive num mundo imaginário. Já ouviu falar dele? No trabalho, por exemplo, o pisciano é aquele que tem mil ideias incríveis, mas impraticáveis ou, então, aquele que começa diversos projetos, mas não termina nenhum, e se atrasa para todas as reuniões devido ao seu perfil caótico e desorganizado.

    Ao longo deste livro, você verá mais dessas características muito conhecidas, mas só agora trazidas para o mundo real. Afinal, o virginiano, por exemplo, já leu mil vezes que é perfeccionista, mas raramente se fala como isso funciona na prática. Agora você vai saber mais sobre si mesmo e sobre o seu signo nas mais diversas situações, e descobrir a diversidade por trás de cada signo do zodíaco!

# Nota da Astróloga Depressiva sobre as Dignidades e Debilidades Planetárias

Ao longo deste livro, no começo de cada capítulo, você vai encontrar termos como: exaltação, domicílio, queda, detrimento e exílio. Esses nomes parecem complexos – devem ter sido criados por virginianos –, mas são essenciais para a compreensão da Astrologia e o acompanharão ao longo de toda a jornada rumo ao aprendizado da arte. Por isso, preparei uma breve explicação – até porque, eu também sou virginiana – para que você entenda o que são e sua importância para compreender a astrologia.

Dignidades/Debilidades essenciais são métodos astrológicos que nos permitem perceber que os planetas, quando estão nos lugares certos, se manifestam bem e, quando nos lugares errados, perdem sua força.

Para avaliar as dignidades e debilidades planetárias essenciais, levamos em conta fatores celestes como o signo, a parte de um signo ou o grau ocupado por um planeta.

Dignidades essenciais como o domicílio, exaltação, triplicidade, termo e face – os três últimos não são mencionados neste livro, por terem menor relevância no mapa astral –, por exemplo, determinam se um planeta é "bom" em um mapa. Em contrapartida, uma casa regida por um planeta débil – os termos para debilidade são detrimento, exílio e queda –, expressa seus assuntos com mais dificuldade.

Se todos nós temos dificuldades e facilidades em nossas vidas, por que não teríamos em nossos mapas, não é? Então, para ilustrar as situações nas quais utilizamos esses termos, vamos esclarecer brevemente o que é cada coisa:

**Domicílio:** quando um planeta está em seu signo de regência, dizemos que está domiciliado e, portanto, fortemente dignificado. Marte em Áries, por exemplo, está domiciliado, já que Áries é um signo regido por Marte e compatível com as características (barraqueiras e impacientes, diga-se de passagem) do planeta.

**Exaltação:** aqui o planeta não está "em casa", mas é muitíssimo bem recebido pelo anfitrião, compreendendo suas características. Saturno, por exemplo, está domiciliado em Capricórnio e Aquário, mas em Libra encontra sua exaltação. Isso quer dizer que, embora as características de Libra não sejam iguais as de Saturno, este signo compreende o seu significado (chatice, porém necessária para pôr ordem na casa) e o expressa bem à sua maneira.

**Triplicidade:** compõem a mesma triplicidade dos signos que estão no mesmo elemento e, portanto, possuem afinidade. A triplicidade não é uma dignidade tão poderosa quanto domicílio e exaltação, mas não deixa de indicar uma pequena compreensão dos assuntos propostos pelo planeta. Na triplicidade, os regentes mudam de acordo com a natureza da carta astral – se é diurna (sol acima do horizonte), teremos um resultado, se é noturna (sol abaixo do horizonte), teremos outro.

**Termos:** é uma dignidade ainda mais fraca – e também por isso pouco mencionada – que as três primeiras e quase não é utilizada pelos astrólogos modernos. Quando um planeta está nos termos de outro, ele age de acordo com as características do planeta cujo "território" foi ocupado. Saturno nos termos (no território) de Vênus, por exemplo, perde um pouco de suas características negativas.

**Face:** é a menor dignidade essencial e é comumente confundida com o conceito de decanato. Sabemos que cada signo é dividido em três faces de dez graus, totalizando os trinta graus. Cada uma dessas "faces" de dez graus é regida por um planeta – de acordo com a ordem caldaica de sucessão dos planetas – e segundo a Astrologia Tradicional, um planeta em sua própria face não pode ser considerado peregrino (sem dignidades), embora a dignidade não denote nada de tão especial.

**Detrimento ou Exílio:** dizemos que um planeta está em detrimento (enfraquecido) quando encontra-se no signo oposto de seu domicílio. Se Saturno em Capricórnio está domiciliado, em Câncer está em detrimento, já que esses dois signos possuem naturezas opostas e, quando Câncer olha para Saturno, chora, porque é frieza demais para suportar.

**Queda:** dizemos que um planeta está em queda quando encontra-se no signo oposto a sua exaltação, logo, se Saturno encontra-se exaltado em Libra, em Áries está em queda indicando fraqueza e dificuldade de entendimento (leia-se totalitarismo e porrada para endireitar), assim como o detrimento.

E aí, o que achou? Um pouco difícil não é, porém necessário para saber como isso é importante para você aproveitar o que tem de melhor no lado *bad* do seu signo.

Prometo que essa parte é a única "depressiva" do livro. A partir de agora, é só diversão, mas se você quiser identificar suas dignidades e debilidades planetárias e saber mais sobre o assunto, recomendo que pesquise sobre a Tabela de Ptolomeu.

Divirta-se!

# Parte I

O Lado *Bad* dos Doze Signos

# Capítulo 1

# Áries

- **Exaltação:** Sol
- **Queda:** Saturno
- **Domicílio:** Marte (diurno)

*Caim trouxe um fruto da terra para presentear o Senhor. Abel, seu irmão, trouxe também uma oferta, mas Deus atentou-se apenas para a oferta do segundo. Competitivo, Caim encheu-se de ira e o Senhor, ao vê-lo irado e de semblante decaído, inspirou-se em Caim para criar os arianos.*

– Gênesis Astrológico, a criação dos arianos

Signo de Fogo, cardinal e regido por Marte, Áries dá início à roda zodiacal e já entra chutando o portão, afinal, os nativos deste signo são o retrato da vitalidade, da impulsividade e, claro, das atitudes precipitadas.

A missão do primeiro signo do zodíaco é desbravar e dar início às coisas, por isso é natural vê-los encabeçando projetos em que possam dar vazão à sua iniciativa, coragem e capacidade de pioneirismo.

Para o ariano, cada dia representa uma nova batalha, que ele está determinado a vencer, mesmo que seja na porrada. É com o signo de Áries que se inicia o ano astrológico, o outono e todos os grandes inícios (e problemas) do mundo.

## CUIDADO, CÃO BRAVO!

### O eu ariano

Respiração ofegante, olhar determinado e passo rápido: se você vir alguém assim na rua, a probabilidade de que seja um ariano é de 99, 9%.

Os gestos e as expressões do ariano são típicos de alguém que tem pressa para viver e aproveitar a vida da forma mais intensa possível. O ariano nato não compreende pessoas lentas, sem iniciativa e contemplativas, que encaram a vida como se ela nunca fosse ter fim. Dentro dele, cresce a indignação e a pergunta: "Como pode alguém viver assim, como quem já morreu?"

É ariano autêntico quem não foge à luta, tem senso de urgência e sabe que a vida é para quem tem coragem de vivê-la!

### O ascendente em Áries

O nativo em ascendente em Áries tem traços fortes e um olhar penetrante. Muitas vezes se veste num estilo original e abusa das cores fortes. O corpo dele é robusto e o caminhar, determinado. Cheio de vitalidade e energia, o nativo em ascendente em Áries também tem uma aura de puro apelo sexual.

## A PACIÊNCIA É COMO O DINHEIRO: NÃO TENHO E, QUANDO TENHO, DESAPARECE RÁPIDO.

### O ariano, as finanças e a vida profissional

O ariano também é agressivo no mundo das finanças. Sua impulsividade é evidenciada quando ele se envolve em investimentos arriscados e perde tudo, quando não desiste daquele jogo de pôquer que já está perdido, quando compra uma espada de samurai que não combina com a decoração da casa e sem consultar o parceiro... Mas essa impulsividade também pode ser uma vantagem. Quando preciso, o ariano assume o guerreiro que o habita, arregaça as mangas e, com coragem, investe sua força no trabalho duro.

Na vida profissional, o ariano pode ser considerado o colaborador ideal para quem procura pessoas que gostem de trabalhar sob pressão. Proativos, eles adoram prazos apertados – nada os deixa mais felizes que entregar o trabalho antes do coleguinha – e não ficam muito tempo em empregos que não representam um desafio. Além disso, os arianos também produzem muito e intensamente – o que pode ser bem lucrativo – mas, por conta da pressa, podem cometer alguns erros.

Em geral, brigam por cargos de liderança e também pela caixinha de clipes que o colega da mesa do lado ganhou e eles não.

### Profissão alternativa para o ariano

Para não desperdiçar a energia marciana num escritório sem janelas, o ariano seria um ótimo Afugentador de Pombos em Jaipur, na Índia. Afinal, além de se manter ativo, correndo para lá e para cá o dia inteiro, sua cara de guerreiro sanguinário – expressão natural ariana – ajudaria muito a evitar que os pombinhos fizessem o número 2 na cabeça dos indianos. E que outro signo do zodíaco se beneficiaria mais de poder xingar sem arranjar encrenca?

## MEXEU COM VOCÊ, MEXEU COMIGO!

## O ariano, a família e os amigos

O ariano luta com unhas e dentes para defender sua família. Como um guarda-costas particular, ele "barraqueia" com quem quer que incomode os seus e não tem a menor vergonha disso. Pavio curto, também pode ser pivô de muitas discussões em família, afinal, é provocador e fala o que pensa, doa a quem doer.

Quando o assunto é amizade, o ariano não é muito diferente. Sincerão, ele pode chocar com suas opiniões "francas demais" e sua mania de decidir pelos outros. Se você é o rei do "escolhe você", como os geminianos ou librianos, vai adorar ter um amigo ariano. Em contrapartida, o amigo ariano pode ser extremamente companheiro certamente o ajudará a criar coragem para tomar decisões que você vive adiando em sua vida!

### Como lidar com um amigo ou parente ariano

Aceite que ele é barraqueiro e não se esconda quando o barraco estiver armado. Também é prudente que você tire do seu vocabulário frases como, "Calma, você precisa ser mais paciente", caso não queira vê-lo entrando em erupção como um vulcão da Indonésia. Depois de aprender a lidar com o pavio curto do ariano, você vai curtir sua amizade sincera e as loucuras que ele pode te encorajar a fazer!

FOGO DE PALHA.

## O ariano e os relacionamentos

A agressividade ariana também se aplica aos relacionamentos. Ardente e belicoso, quando o ariano empresta suas características à Vênus – que representa o que gostamos e o que nos dá prazer –, gera o gosto pela briga, por paixões rápidas, intensas e, às vezes, até um pouquinho problemáticas.

Quem tem Vênus em Áries gosta do desafio da conquista e, muitas vezes, depois de alcançado seu objetivo, perde o interesse pelo seu objeto de desejo. Por isso, se você namora um ariano, fique atento: o amor dele pode durar só um carnaval e, se durar mais, pode ser repleto de brigas homéricas que ele mesmo causa só para "apimentar" o relacionamento e tirá-lo do tédio. Você está pronto para isso?

Superados os pontos de tensão, quando está envolvido, o arianinho mergulha no relacionamento sem medo de ser feliz, encantando o parceiro que buscar a intensidade de um romance tórrido e cheio de erotismo.

### Para conquistar um ariano

Desafie-o na primeira oportunidade e não seja um alvo fácil. Caso surja oportunidade para uma boa briga, encare-a com sua melhor expressão "cão raivoso". E para garantir o amor do ariano para sempre, lembre-se: amor pra ele é guerra, portanto, prepare suas armas!

### Para se livrar de um ariano

Deixe-o ter certeza do seu amor e, quando ele estiver nervoso e quiser brigar, diga que só vai conversar quando ele estiver mais calmo.

## RASGO O VERBO, PARA NÃO RASGAR O SUJEITO.

### O ariano, a comunicação e os talentos

Dono de uma língua ferina e sem filtros, o ariano comunica-se de forma franca e direta, sem fazer rodeios. A namorada perguntou se está gordinha? Ele responderá que sim sem fazer firula, se for esse o caso. Sofreu uma injustiça no trabalho? O ariano será o primeiro a colocar a boca no mundo, reivindicando seus direitos em alto e bom som.

Devido a essa objetividade e acidez na comunicação, é muito comum ver pessoas de Mercúrio em Áries, por exemplo, atuando em vários setores do poder judiciário. (Imagine um promotor com fortes características arianas. Faria a defesa tremer!)

Por ser o primeiro signo do zodíaco, Áries têm como missão o pioneirismo, por isso é natural ver arianos em posições de liderança – não por gosto em mandar, mas por necessidade de agir e impaciência para esperar o tempo dos outros.

Ao se comunicar, o ariano analisa rapidamente a situação e "vomita" tudo o que tiver na cabeça de forma instintiva, sem pestanejar. Ele se comunica de forma direta, sem papas na língua, e por conta disso quem tem Mercúrio em Áries pode ser visto como alguém agressivo e radical em suas colocações. Também por causa do raciocínio rápido, ele não tem muita paciência com questões filosóficas.

> **Foi engano**
>
> – Alô, por favor o João?
> – Não tem merda de João nenhum aqui, mas, se você ligar de novo, eu mando um bem grandão aí onde você está pra te encher de porrada, sacou?

## SAINDO DA *BAD*.

### O ariano na via positiva

Querido ariano, ao longo da vida, você encarou pacientemente (ou nem tanto) adjetivos normalmente associados ao seu signo, como: briguento, grosso, apressadinho, impaciente...

Por isso, deve estar pensando que a vida não presta, não é? Se isso passou pela sua cabeça, saiba que para tudo tem solução e, se quiser, sua vida pode ser bem melhor. Por exemplo, se na via negativa, Áries é o signo do impulsivo brigão; na via positiva, as pessoas podem admirá-lo pela sua iniciativa e coragem.

Na astrologia "good vibes", Áries é o signo da velocidade, da força, da liderança, da opinião sincera e da coragem para assumir riscos e viver a vida com total destemor! Para melhorar ainda mais, já pensou em confraternizar com seu coleguinha de Libra? Na companhia do seu oposto complementar, você poderá aprender a ter paciência, traquejo social e diplomacia.

Outro signo que poderá ajudá-lo a sair da *bad* é Touro. A constância, a persistência e até a lentidão de Touro podem irritar você, mas incorporar algumas dessas características ao seu estilo de vida pode te render alguns anos a mais neste planeta. Acha que dá? Eu te desafio!

### Celebridades de Áries

- Ayrton Senna (21.3)
- Renato Russo (27.3)
- Xuxa Meneghel (27.3)
- Vincent Van Gogh (30.3)
- Emma Watson (15.4)

**Um ariano falou por aí...**

"Sou ariano. E ariano não pede licença. Entra arrombando a porta."
– Cazuza

### ÁRIES
Pegando carona com a amiga ariana

## Capítulo 2

# Touro

- **Exaltação:** Lua
- **Detrimento:** Marte
- **Domicílio:** Touro (diurno)

*No sétimo dia, Deus já havia concluído a obra que realizara, e então descansou. Sentindo-se preguiçoso, mas inspirado pelo prazer do descanso, criou os taurinos à imagem e semelhança do sétimo dia.*

*– Gênesis Astrológico, a criação dos taurinos*

Signo de Terra, fixo e regido por Vênus, Touro é o segundo signo da roda zodiacal e chega para conferir estabilidade às obras iniciadas por Áries. Os filhos de Touro são o retrato da constância, do hedonismo e da paciência.

A missão do segundo signo do zodíaco é sedimentar, por isso é natural vê-los em posições fixas, que possam atender à sua necessidade de constância e segurança e permitam sua construção paciente de todas as coisas.

Para o taurino, cada dia representa uma oportunidade para construir um futuro sólido. É com esse signo que aprendemos a lição dos três porquinhos: é melhor investir esforço e tempo na construção de algo seguro, do que fazer tudo rapidinho e ver tudo ruindo com um único sopro.

## TEIMOSO É QUEM TEIMA COMIGO!

### O eu taurino

Expressão de bicho-preguiça, voz mansa e movimentos l-e-n-t-o-s – essas são características tipicamente taurinas, principalmente se esse signo estiver posicionado no ascendente.

Os gestos e expressões do taurino são clássicos de quem deseja desfrutar a vida plenamente, mas com calma, degustando tudo lentamente, para poder saborear seu gosto, aroma e textura.

Mestres em redirecionamento estratégico de energia vital, o taurino só não economiza forças quando quer convencer os outros de que estão errados – ainda que não estejam. Teimoso – embora descreva a si mesmo como alguém persistente e obstinado –, o taurino autêntico também não poupa energia quando se trata de preservar seu patrimônio. Para garantir sua estabilidade, rejeita toda e qualquer sugestão que envolva mudança e ou movimento.

Desistir é uma palavra inexistente no dicionário taurino. Depois que tomou uma decisão, ele aponta seus chifres na direção do seu objetivo e luta até o fim para alcançá-lo. Só vai precisar de um empurrãozinho para dar o primeiro passo, afinal, não e à toa que às vezes lhe dão o apelido de "Roda Presa".

### O ascendente em Touro

O nativo de ascendente em Touro pode ter olhar bondoso, rosto arredondado e compleição forte. Seu corpo é robusto, musculoso e compacto, e muitas vezes ele tem pés largos e mãos curtas. Gosta de usar acessórios no pescoço, bem como roupas confortáveis, de tecidos nobres. Tende a ganhar peso quando não se exercita regularmente.

# SE TEMPO FOSSE DINHEIRO, OS RELÓGIOS SERIAM MILIONÁRIOS!

## O taurino, as finanças e a vida profissional

Quando o assunto é dinheiro, o taurino é extremamente conservador e foge dos investimentos de risco. Embora goste do luxo e das coisas boas da vida, ele preza pela segurança acima de qualquer coisa e não mede esforços para garantir um polpudo pé de meia em sua aposentadoria. Afinal, uma velhice regada a champanhe, caviar e lençol 1000 fios não é nada barata.

É também por causa dessa necessidade de segurança que é muito comum ver taurinos trabalhando na mesma empresa durante muitos anos. Sabe aquele tiozinho gorducho que está na mesma empresa há mais de 20 anos e esconde guloseimas na gaveta? Pode ter certeza de que ele é taurino e está desprezando o aquarianinho revolucionário que chegou agora na "firma" e quer atualizar todos os sistemas e regras.

Também é preciso destacar que o lema do taurino no trabalho é "devagar e sempre", por isso nem adianta apressá-lo cobrando prazos. Diferente do ariano, o taurino não tem uma vitalidade explosiva, mas, se respeitarem seu ritmo lento, será capaz de executar a tarefa mais monótona durante anos a fio, sem se queixar da rotina (contanto que seja bem pago).

O taurino pode ser visto como alguém sem iniciativa e com dificuldade para se adaptar a mudanças, mas a verdade é que, quando ocorre algum problema, só ele tem paciência e persistência para resolver e terminar o projeto que o jovenzinho revolucionário começou, mas não concluiu.

## Profissão alternativa para o taurino

Embora seja taxado de comilão e preguiçoso, o taurino pode ser muito útil se estiver na profissão certa. Como especialista em conforto, por exemplo, ele poderia ganhar a vida com a tranquilidade que sempre quis: testando camas, sofás, poltronas... Que taurino não teria orgulho de dizer a todos que o conforto é o seu ganha-pão?!

# O QUE É SEU É MEU E O QUE É NOSSO É MEU TAMBÉM.

## O taurino, a família e os amigos

Em família, o taurino é provedor e não hesita em pôr a mão na massa para garantir o sustento dos seus. Como sua preocupação é ter conforto e comodidade, é muito comum vê-los acumulando trabalho ou fazendo hora extra para aumentar seus rendimentos e garantir que essa comodidade se estenda a todas as pessoas que ama. O que o taurino quer em troca? Atenção!

Ciumento e possessivo, este nativo também é muito apegado à família e pode fazer beicinho se tiver que dividir seu espaço – e bens materiais – com alguém que não seja do seu clã.

Quando o assunto é amizade, o taurino é igualmente possessivo. Se chega um amigo novo, ele logo levanta as orelhas e luta para garantir seu espaço. Fechado e ligeiramente desconfiado, ele não abrirá o coração para você tão cedo, mas, se a amizade se aprofundar, existe uma grande chance de que ela seja para toda a vida.

### Como lidar com um amigo ou parente taurino

Mantenha a dispensa cheia e, em hipótese alguma, ouse discordar do tourinho – ele se sentirá desafiado e lançará mão da sua teimosia sem fim. Se possível também evite a interação com outros amigos e familiares na presença dele, para não desencadear um ataque de ciúme. E, por último, mas não menos importante, lembre-se: JAMAIS peça para provar um pedacinho da comida que está no prato dele. Feito isso, é só curtir a deliciosa companhia taurina!

# CASA, COMIDA E ROUPA JOGADA.

## O taurino e os relacionamentos

O temperamento hedonista de Touro também se aplica aos relacionamentos e é totalmente compatível com os assuntos de Vênus – personificação do prazer, do amor e da beleza. Touro é o signo do prazer vivido por meio das sensações, por isso quem tem Vênus em Touro aprecia tudo aquilo que desperta seus sentidos: uma boa massagem, lençóis de algodão egípcio com o "bom e velho champanhe com morangos". Quem vive o relacionamento aos moldes de Touro também aprecia relacionamentos estáveis e parceiros constantes, que promovem segurança material e emocional.

Namorar um taurino parece promissor? Eu entendo, mas porque nem tudo é perfeito, é preciso fazer um alerta: na via negativa, o taurino pode ser meio paradão, acomodado e apegado a uma rotina tão monótona que o fará bocejar.

### Para conquistar um taurino

Invista em cursos de massagem e culinária, esteja sempre pronto para uma boa sonecaquinha e seja um entusiasta do sexo tântrico.

### Para se livrar de um taurino

Dedique-se exclusivamente às rapidinhas, movimente-se de forma brusca, grite bastante e faça de seu ninho de amor um campo de guerra. Caprichar nas dietas – e obrigá-lo a participar também – também é muito eficaz!

## NÃO É PREGUIÇA, É REDIRECIONAMENTO ESTRATÉGICO DE ENERGIA VITAL.

### O taurino, a comunicação e os talentos

Embora viva atrás de segurança e estabilidade financeira, o bom taurino persegue esse objetivo economizando o máximo de energia – e isso fica bem claro na comunicação.

Dono de uma mente concreta e um raciocínio extremamente prático (muitas vezes considerado limitado), quem tem Mercúrio em Touro gosta de ponderar as ideias antes de decidir, avaliando tudo num ritmo de tartaruga. Isso acontece porque, quando toma uma decisão, Touro não volta atrás – característica dos signos fixos –, o que o leva a merecer a fama de ser um dos signos mais teimosos do zodíaco, pela dificuldade em digerir novas ideias.

Devido a essa firmeza de opinião e raciocínio prático, é muito comum ver taurinos se destacando em atividades sensoriais (do tipo "só acredito vendo" e, se possível, tocando) como jardinagem, culinária e até massagem, ou que envolvam aspectos práticos, como as finanças.

O taurino brilha quando pode mostrar sua constância, objetividade e segurança nas tarefas do dia a dia.

> **Foi engano**
>
> – Alô, por favor o João?
> – Não tem ninguém aqui com esse nome, mas... você é de algum restaurante? Se for comida, pode mandar, viu?

## SAINDO DA *BAD*.

## O taurino na via positiva

Preguiçoso, teimoso, lento, comilão... Você deve achar que não é justo comprar um livro só pra ler o que já sabia, não é? Foi para agradecê-lo pela paciência (olha aí uma grande qualidade sua!) que preparei alguns elogios e dicas especiais pra você sair da *bad* e lembrar que a vida vale a pena.

Por exemplo, eu sei que você é persistente e vai tomar providências (ainda que lentamente) para alcançar o que quer que almeje. Também sei que você aprecia a estabilidade e valoriza aquilo que possui, mas... por que não desenvolver outras qualidades?

Já pensou em confraternizar com aquele escorpiano obsessivo e profundo demais, que tanto te incomoda? Com ele, você vai aprender a deixar um pouco de lado os prazeres da cama, mesa e banho para começar a notar coisas que estão escondidas no fundo do seu ser.

### Celebridades de Touro

- Faustão (02.05)
- Lulu Santos (04.05)
- Bono Vox (10.05)
- Megan Fox (15.05)
- Cher (20.05)

Já pensou que incrível será descobrir que os tesouros que você tem dentro de si são muito mais valiosos que alguns bens que guarda a sete chaves?!

E o geminiano? Também vale reparar nele. Esse é um signo que pode te ensinar muito sobre adaptabilidade e, se você aprender com ele a dançar conforme a música (mas só às vezes, eu juro), talvez a vida fique mais leve.

E aí? Você vai ousar mudar?!

Um taurino falou por aí...

"Quando a vida parece difícil, os corajosos não se deitam e aceitam a derrota; eles se mostram mais determinados a lutar por um futuro melhor."

– Rainha Elizabeth II

**TOURO**
Yoga para taurinos

*Amanhã vou começar os exercícios de Yoga que o mestre me ensinou*

## Capítulo 3

# Gêmeos

- **Detrimento:** Júpiter
- **Domicílio:** Mercúrio

*Então, o Senhor disse ao geminiano recém-criado: "De toda a árvore do jardim comerás livremente, mas da árvore do conhecimento do bem e do mal, dela não comerás", despertando assim, toda a curiosidade desse nativo.*

– Gênesis Astrológico, a criação dos geminianos

Signo de Ar, mutável e regido por Mercúrio, Gêmeos é o terceiro signo da roda zodiacal e chega para conferir movimento e dinamismo às obras de Touro. Os filhos de Gêmeos são o retrato de Hermes: mensageiros com asas nos pés, voando pra lá e pra cá, para comunicar as mudanças da vida.

Como terceiro signo do zodíaco, a missão do geminiano é ligar as pessoas através da comunicação, por isso é natural vê-lo mudando constantemente, a fim de experimentar tudo o que a vida pode oferecer (e depois, é claro, contar ao vizinho a experiência dele, ainda que ela tenha acontecido apenas intelectualmente).

Para o geminiano, cada dia representa uma oportunidade de aprender e transmitir uma informação nova, por isso é através dele que aprendemos sobre o movimento, a mudança e a maleabilidade.

## ODEIO SER BIPOLAR, MAS É TÃO DIVERTIDO!
### O eu geminiano

Olhar curioso, mãos que gesticulam e boca em constante movimento: eis um perfil geminiano perceptível a olho nu.

Os gestos e as expressões do geminiano são típicos de alguém que tem sede de conhecimento e deseja disseminá-lo a todos que estiverem à sua volta. O geminiano nato não compreende, por exemplo, as pessoas que não leem, não se comunicam e não estão por dentro das últimas notícias do portal jornalístico mais famoso do país; afinal, ele sabe que há muito a descobrir e pouco tempo para explorar.

Apesar da sua sede por conhecimento, o geminiano é inquieto e logo fica entediado. Ele passa de uma informação para outra tão rapidamente que fica impossível manter uma opinião – e até o humor – por mais de cinco segundos. Ah, e se você os acusa de ser muito instável, ele não se ofende, viu? Qualquer pessoa minimamente inteligente – pelo menos do ponto de vista geminiano – sabe que mudar de opinião é uma característica natural de quem está sempre em busca de conhecimento, logo, ele só vai dizer, "obrigado pelo elogio".

### O ascendente em Gêmeos

O nativo de ascendente em Gêmeos tende a ser alto e ter braços e pernas compridas. Embora seja ágil e se movimente com leveza, pode ser desajeitado quando está com pressa. Por ter muita energia, ele costuma usar as mãos para se expressar e não para quieto um minuto. Geralmente sorri bastante e quase sempre parece mais jovem do que realmente é.

## SE O DINHEIRO FALASSE, ELE DIRIA "HASTA LA VISTA, BABY"!
### O geminiano, as finanças e a vida profissional

Desapegado, o geminiano não pensa no amanhã e pode oscilar entre períodos de gastos exorbitantes e de economia. O maior pecado financeiro do geminiano gira em torno de necessidades que ele considera essenciais para sua saúde mental, como livros, ingressos para o cinema e cerveja para as festinhas com os amigos.

No trabalho, o geminiano também oscila. Se o emprego não for interessante, ele não hesita em pedir demissão e sair em busca de outro – o que pode gerar um currículo com dezenas de empregos de curto período e uma variedade impressionante de funções exercidas. Comunicativo, bem informado e extremamente adaptável, ele lida com as questões de trabalho com inteligência e jogo de cintura.

O geminiano se destaca porque está sempre ligado ao que acontece ao seu redor: economia, política, atualidades e principalmente "questões sociais" (ele sabe que a Fernandinha saiu com o Cláudio da contabilidade, por exemplo). Gosta de movimento e da ausência de rotina, e pode preferir trabalhar em horários flexíveis. Sabe aquele colega que levou uma bronca por ficar pendurado no telefone na hora do expediente? Pode ser geminiano!

### Profissão alternativa para o geminiano

Como está acostumado a pular de galho em galho e sofre de um tédio crônico quando é obrigado a lidar com o mesmo assunto por mais de quinze dias, a profissão ideal para o geminiano é aquela que muda a todo instante. Então, por que não trabalhar como "Personal Friend", uma espécie de amigo de aluguel? Nessa profissão, o geminiano poderá usar todas as suas habilidades, não cansará ninguém com sua tagarelice esquizofrênica (não é fácil ser dual...) e ainda vai ganhar dinheiro com isso! Não é o máximo?!

## O QUE DIZER DE VOCÊ QUE MAL CONHEÇO E JÁ CONSIDERO "PAKAS"?

## O geminiano, a família e os amigos

O geminiano interage bem em casa, desde que seus familiares sejam capazes de sustentar uma conversa sem matá-lo de tédio. Curioso e falastrão, ele gosta de reunir a família em torno da mesa para falar sobre o casamento da prima distante, um novo escândalo político ou qualquer outro assunto, mas espera que as pessoas tenham coisas tão interessantes a dizer quanto ele!

Quando o assunto é amizade, o gosto por unir as pessoas e interagir com elas permanece. O geminiano gosta de um bom papo, mas prefere transitar entre diversos grupos, para beber de diversas fontes, e geralmente é mais conhecido que vereador de bairro.

### Como lidar com um amigo ou parente geminiano

Aceite que ele não tem raízes nem frescuras. Aceite também a dificuldade que ele tem de ouvir e, acima de tudo, de guardar segredos! Também é importante que você não se magoe caso pegue o geminiano contando uma mentirinha branca – entenda que é só para deixar as histórias que ele conta mais interessantes e ficará tudo bem. Superados esses obstáculos, você terá um amigo bom de papo, divertido e muitíssimo inteligente para falar sobre as loucuras da vida!

## ROMANCE BOM É O QUE TEM PAPO BOM.
## O geminiano e os relacionamentos

O temperamento mutável e curioso de Gêmeos também se aplica aos relacionamentos. Pessoas com Vênus – planeta que representa o que nos proporciona prazer – em Gêmeos, por exemplo, estão sempre sedentas de informação, troca de ideias, movimento e dinamismo. Se o paquera é ruim de papo, acabou o tesão, afinal, o nativo de Gêmeos não tolera o tédio, tem horror à mesmice e precisa de estímulo intelectual – muito mais que estímulo físico – para manter o interesse pelas coisas e pessoas.

Para uma pessoa otimista, namorar um geminiano pode parecer divertido, nada entediante e superenriquecedor, mas, como nem tudo é perfeito e precisamos ser realistas, segue um alerta aos pretendentes: na via negativa, a palavra-chave de um relacionamento com um nativo de Vênus em Gêmeos é: inconstância.

### Para conquistar um geminiano

Não desgrude dos portais de notícia, assista a todos os lançamentos da Netflix, abuse das palavras difíceis e diga sempre "Fale mais sobre isso". Para garantir o amor do geminiano, também vale abusar de elogios do tipo: "Você é tão inteligente", "Adoro seu jeito de contar histórias", "Eu passaria horas ouvindo você falar".

### Para se livrar de um geminiano

Boceje enquanto ele fala, peça para que ele vá direto ao ponto, diga que não tem interesse em saber sobre o assunto de que ele está falando e o interrompa para fazer comentários desinteressantes. É tiro e queda!

## PENSO, LOGO HESITO.
## O geminiano, a comunicação e os talentos

Conhecidos pelo dinamismo e dom para levar informação – não vamos discutir a relevância dela aqui, ok? –, por onde passa o geminiano vivencia, através da comunicação, seus maiores talentos.

Como em Gêmeos Mercúrio encontra seu domicílio, o geminiano é dotado de um bom raciocínio lógico, muita objetividade e uma capacidade de persuasão de dar nó em pingo d'água. Comunicando-se de forma ágil, eloquente e versátil, ele é capaz de captar várias informações ao mesmo tempo, processando-as e transmitindo-as com a mesma desenvoltura.

Devido a essa facilidade de interação e eloquência fora do comum, é muito natural ver o geminiano se destacando em atividades como o jornalismo, locução, promoção de eventos, vendas e quaisquer outras áreas que exijam interação e talento para o blá-blá-blá.

O geminiano brilha quando pode mostrar ao mundo sua habilidade para ligar os pontos e as pessoas.

> **Foi engano**
>
> – Alô, por favor, o João?
> – Você quer falar com o João Alves ou com o João Ferreira? Porque o Ferreira está com uma doença terminal. Foi o João Alves quem me contou, mas não conta pra ninguém porque ele pediu segredo, tá?

## SAINDO DA *BAD*.
## O geminiano na via positiva

Querido geminiano, para me redimir das acusações de que você é instável e fofoqueiro, gostaria de lhes dizer que EU SEI que Gêmeos é o signo que comunica, informa, troca ideias e, através disso, enriquece o nosso mundo!

Também sei que sua sagacidade e inquietude dão ao mundo o impulso necessário para que as mudanças aconteçam. E é justamente por conhecer sua mente aberta que eu gostaria de lhe sugerir algumas mudanças. Topa?

Em primeiro lugar, o que acha de observar os colegas sagitarianos mais de perto? Eles são tão mutáveis quanto você, mas desafiam alguns limites que você ainda não desafia. Comece tentando dar continuidade àquele curso de Mandarim que você iniciou, mas já pensa em interromper. Eu sei que é tentador pular de uma coisa para outra e assim ver mais do mundo rapidamente, mas algumas coisas valem um aprendizado mais profundo. Os sagitarianos sabem disso!

Ah, os cancerianos – eu sei que parecem chatos – também podem ensiná-lo sobre a importância de sentir e ver com os olhos do coração, viu?

Sei que isso é antigeminiano, mas, se você contrabalançar suas características com as deles, talvez ganhe mais amigos e seja um companheiro melhor para aqueles que você ama (mas não diz que ama). Que tal?!

### Celebridades de Gêmeos

- Ivete Sangalo (27.05)
- Marília Gabriela (31.05)
- Marilyn Monroe (01.06)
- Celso Portiolli (01.06)
- Paul McCartney (18.06)

Um geminiano falou por aí...

"As pessoas têm medo de mudança. Eu tenho medo que as coisas nunca mudem."

– Chico Buarque

**GÊMEOS**
Na terapia

# Capítulo 4

# Câncer

- **Exaltação:** Júpiter
- **Queda:** Marte
- **Domicílio:** Lua
- **Detrimento:** Saturno

*Ao criar os cancerianos, Deus os abençoou, dizendo: "Sejam férteis e multipliquem-se!". Os cancerianos, é claro, levaram a ordem ao pé da letra.*

*– Gênesis Astrológico, a criação dos cancerianos*

Signo de Água, cardinal e regido pela Lua, Câncer é o quarto signo da roda zodiacal e chega para conferir emoção e sensibilidade ao intelecto de Gêmeos. Os filhos de Câncer têm a missão de acolher e nutrir aqueles que consideram parte da família, cuidando deles.

Aos olhos dos cancerianos, cada dia representa uma oportunidade para estreitar laços e propiciar um ambiente seguro para si e aqueles que amam. Com o signo de Câncer nasce o inverno e em nós, a necessidade de fugir do frio, de olhar para dentro e compreender nossas emoções.

## ANTIQUADO, NÃO: RETRÔ!
### O eu canceriano

Rostinho de lua cheia, olhar de cãozinho sem dono e braços prontos para abraçar: se você encontrar alguém assim na rua, pode ter certeza de que se trata de um canceriano sem lar.

Os gestos e as expressões do canceriano são típicos de alguém que acolhe porque deseja desesperadamente ser acolhido também. O canceriano nato não compreende o desapego, é o maior recordista do zodíaco em declarações de amor e jamais nega suas raízes – e é por conta do apego a essas raízes que são considerados nostálgicos e amantes do passado.

Contemplativo, o bom canceriano está sempre olhando para trás e lamentando a perda de coisas e pessoas que já foram, e não voltam mais. Também vivem se lamentando de forma persistente das suas mágoas e ressentimentos antigos, e é aí que começa o drama...

### O ascendente em Câncer

O nativo de ascendente em Câncer tende a ter olhos expressivos, rosto redondo e pele macia. Todas as suas emoções, estados de espírito e reações instintivas são refletidas em seu rosto. Em geral, a parte superior do seu corpo é mais robusto e pesado que a parte inferior. Podem ser gordinhos, especialmente na segunda metade da vida.

## NÃO QUERO DINHEIRO, EU SÓ QUERO AMAR.
### O canceriano, as finanças e a vida profissional

O canceriano lida com as suas finanças de forma oscilante, de acordo com as próprias emoções. Instável, pode gastar mais quando está triste e, como isso acontece com frequência devido à sensibilidade típica desse signo, pode ser difícil fazer um pé de meia.

O que garante que o canceriano não saia por aí gastando tudo que tem é o compromisso com a família. Se for responsável pelos seus, fará tudo para poupar e, ao menor sinal de necessidade, estará pronto para ajudar aqueles que ama.

No trabalho, o canceriano também se deixa levar pela emoção. Para ele, o dinheiro é só uma consequência. O mais importante é contribuir com algo importante e que beneficie outras pessoas. A tia da cozinha que faz do trabalho a extensão do seu lar, cuidando de todos os colegas como filhos e fazendo aquele chazinho de erva-doce para quem está com dor de estômago, por exemplo, pode ser canceriana.

Como o canceriano veste a camisa da empresa e a defende com unhas e dentes, pode guardar ressentimento se levar bronca do chefe. Outra desvantagem é que ele pode se ausentar do trabalho se o filho passar mal, a vovó precisar ir ao médico e o parceiro quebrar o dedinho do pé jogando futebol, afinal, em primeiro lugar vem a família!

### Profissão alternativa para o canceriano

Para facilitar a vida do canceriano – que é incompreendido em sua infinita capacidade de amar –, a profissão ideal pode ser a de Abraçador Profissional. Assim ele pode suprir sua carência crônica, dando alegria a quem busca um abraço apertado e encontrando alguém pra ouvir suas lamúrias. Imagine que maravilha: poder grudar em alguém sem ser repelido e ainda ser remunerado por isso... Com certeza o canceriano vai chorar de emoção!

## FAMÍLIA QUER DIZER NUNCA ABANDONAR OU ESQUECER.

## O canceriano, a família e os amigos

Saudosista e orgulhoso de suas raízes, o canceriano pode passar horas vendo álbuns de fotos antigas e contando histórias da infância para os amigos. Como a família é seu porto seguro, é comum ver cancerianos dependentes dos pais ou morando com eles até uma idade avançada – o que pode causar estranheza nas outras pessoas normais e desapegadas. Mesmo quando não é dependente, o canceriano é protetor e, em nome da família, move montanhas e compra brigas homéricas, que ninguém imaginaria que ele estaria disposto a travar com quem quer seja. Isso porque, para o canceriano, a família é tudo.

Quando o assunto é amizade, o canceriano é igualmente protetor. Sensível e perceptivo, está sempre pronto para ouvir e acolher um amigo em apuros. No entanto, cobrará com juros e correção a gentileza e ficará ressentido se esse amigo não retribuí-la num momento difícil. Pisou na bola com um canceriano? Agora aguenta. Ele vai desenterrar o problema todas as vezes que estiver de mal com a vida – e isso pode acontecer com frequência.

### Como lidar com um amigo ou parente canceriano

Aceite a oscilação de humor desse signo e não perca a paciência quando ele fizer beicinho e exigir a sua atenção. Em caso de mimimi e chantagem emocional, perdoe e lembre-se de que, apesar de tudo, ele é uma boa pessoa.

## PODE PERTURBAR À VONTADE.

## O canceriano e os relacionamentos

O temperamento chorão, sentimental e carente de Câncer também se aplica aos relacionamentos. Pessoas com Vênus – o planeta do amor – em Câncer gostam de cuidar, mimar e acolher, mas exigirão o mesmo tratamento em troca. Obcecado pela instituição familiar, o canceriano fará tudo para construir um lar confortável e tende a adotar um comportamento maternal ou paternal, ainda que o parceiro não seja um bebê.

Ele é também extremamente sensível e, às vezes, até um pouco "grudentinhos". Num relacionamento, espera um parceiro sensível e receptivo, que valorize a instituição familiar.

Para uma pessoa idealista – e extremamente carente –, namorar um canceriano pode ser o passaporte para um amor eterno; no entanto, sejamos realistas: é preciso ter muita paciência para suportar as fases cancerianas e os beicinhos que as acompanham.

### Para conquistar um canceriano

Abuse dos apelidinhos melosos ("paizinho" e "mãezinha" são sucesso de bilheteria), trate-o como se fosse um neném e capriche nos "abraços e beijinhos e carinhos sem ter fim". Ah, não se esqueça de afirmar com um ar esperançoso que o seu maior sonho é ter uma família com quatro filhinhos, um cachorro e um gato. É batata!

### Para se livrar de um canceriano

Diga a ele para parar de fazer manha, odeie toda a família dele e deixe bem claro que você também não faz questão de constituir uma. Acuse-o de ser um grude, faça cara feia para as crianças e, ao receber visitas, seja um péssimo anfitrião. Você nunca mais receberá um bilhetinho meloso de um caranguejinho.

## FALA QUE EU TE ESCUTO!

### O canceriano, a comunicação e os talentos

Dono de uma sensibilidade ímpar, o canceriano é introspectivo e pode sofrer com a dificuldade de expressão, principalmente se o signo estiver em Mercúrio. Isso acontece porque a comunicação canceriana é influenciada por fatores emocionais, por isso existe a tendência de absorver as informações sem conseguir transmiti-las de forma clara.

Superados os obstáculos da emoção versus o raciocínio lógico, o canceriano pode se mostrar um excelente terapeuta ou facilitador da expressão emocional das outras pessoas; afinal, ele é um ótimo ouvinte.

O canceriano brilha quando pode expressar suas emoções ou facilitar a expressão de alguém.

> **Foi engano**
>
> – Alô, por favor o João?
> – Não tem nenhum João aqui, mas eu tive um namorado com esse nome. Foi em meados de 1999. Nunca vou esquecer o dia em que ele me deixou. Foi na primavera e, enquanto as flores nasciam, algo morria em meu coração... blá,blá,blá...

## SAINDO DA *BAD*.

### O canceriano na via positiva

Querido canceriano, perdoe-me se o magoo ao chamá-lo de chorão, dramático e mestre em chantagem emocional. Expus a via negativa só para, neste tópico, lembrá-lo de que eu sei que Câncer é o signo da nutrição, do afeto, do acolhimento e daqueles que protegem os seus com unhas e dentes! Ser sensível, receptivo e defensor das tradições é de fato muito louvável, mas o que você acha de complementar essas características com a outras que estão faltando?

Observando um colega capricorniano, por exemplo, você poderá aprender sobre praticidade, retidão e estabilidade. Com essas características somadas às suas, tenho certeza de que será mais fácil encarar o mundo sem correr o risco de se desidratar de tanto chorar!

Inspirar-se nos leoninos também pode ser benéfico para você. Um leonino jamais chora por um amor perdido ou pela atenção que não ganha. Aprenda com ele sobre o amor-próprio e, quando a rejeição acontecer, você saberá que é um caranguejo bom demais para sofrer por quem não o valoriza.

E aí? Acha que consegue ser forte?

Um canceriano falou por aí…

"Eu quero sentir minha vida enquanto estou nela."

– Meryl Streep

**Celebridades de Câncer**
- Elza Soares (23.06)
- Princesa Diana (01.07)
- Dalai Lama XIV (06.07)
- Nelson Mandela (18.07)
- Gisele Bündchen (20.07)

**CÂNCER**
Questionário

# Capítulo 5

# Leão

- **Detrimento:** Saturno
- **Domicílio:** Sol

*Disse o Senhor: "Haja luz", e a luz nada mais era que um holofote para iluminar sua nova criação: os leoninos.*

*– Gênesis Astrológico, a criação dos leoninos*

Signo de Fogo, fixo e regido pelo Sol, Leão é o quinto signo da roda zodiacal e chega para conferir segurança, autoridade e autoestima à fragilidade de Câncer. Os filhos de Leão são o retrato do amor-próprio, da capacidade de liderança e da alegria.

Como o quinto signo do zodíaco, sua missão é espalhar alegria e confiança por este mundo, por isso é natural vê-los em posições de liderança: quem é melhor que um leonino para motivar uma equipe?

Para os leoninos, cada dia representa uma oportunidade de se autoafirmar para o mundo e dizer para alguém "Ei, você pode!". É com o signo de Leão que aprendemos nosso valor e reconhecemos nossos talentos.

*STATUS*: BRILHANDO.

## O eu leonino

Nariz empinado, andar determinado e expressão de "quem manda aqui sou eu": essas são características clássicas de um leonino de garbo e elegância.

Os gestos e expressões do leonino são típicos de quem vive para ganhar aplausos. O leonino nato não compreende, por exemplo, pessoas excessivamente humildes, discretas, sem autoconfiança e muito solícitas –, mas, apesar da falta de compreensão, certamente fará delas seus súditos.

Um verdadeiro leonino sabe que quem não se valoriza não é respeitado, logo, a autoestima elevada é uma característica obrigatória. É leonino autêntico quem busca o prestígio, vive a vida com alegria e não espera o amor do outro para reconhecer seu próprio valor!

## O ascendente em Leão

Os nativos de ascendente em Leão tem aparência nobre e podem parecer altos e majestosos. Em geral, sabem se vestir de modo a impressionar quem os vê. Seus cabelos, muitas vezes, se parecem com a juba de um leão.

MANDA QUEM PODE, OBEDECE QUEM TEM JUÍZO.

## O leonino, as finanças e a vida profissional

Quando o ego não o obriga a viver além de suas posses, o leonino pode ser estável e responsável com suas finanças. Acontece que é muito difícil calar o ego leonino, e é comum vê-lo gastando fortunas para exaltar seu charme natural e deixar os amigos morrendo de inveja.

Mas o leonino não gasta apenas para causar inveja aos amigos. Generoso, ele gosta de presentear e não poupa esforços para mostrar aos outros sua grandiosa generosidade.

Afinal, ele jamais aceitará ser visto como sovina: um verdadeiro leonino dá presentes tão bons quanto ele!

Na vida profissional, é comum ver leoninos em posições de liderança. Autoritários, eles sempre arranjam um súdito ou fã para acatar suas ordens, mesmo que não tenham um cargo de chefia. É leonino o cara que faz aquelas palestras motivacionais "máster looooon-gaaas", só para mostrar aos outros como ele – um ser magnânimo – alcançou o sucesso; afinal, ele se orgulha muito disso.

Embora seja autoritário, pode ser bom ter um chefe leonino: ele sabe como deixar seus colegas motivados e é generoso com quem realmente se esforça para servi-lo.

### Profissão alternativa para o leonino

Ser filho do Astro Rei é uma tarefa incompreendida neste mundo, despreparado para tanto narcisismo e exuberância, por isso a profissão ideal do leonino é ser Montador de Legos. Ele pode montar a própria imagem em Lego, fazer um castelo só para ele e, depois, montar uma legião de suditozinhos. Será o mundo perfeito, desde que um escorpiano não veja e acabe botando fogo em tudo só pelo prazer de contemplar esse reizinho horrorizado (e seu rostinho bonito) diante da sua obra de arte em chamas, queimando lentamente.

## PARABÉNS A VOCÊ QUE APRECIA A MINHA GRANDEZA!

## O leonino, a família e os amigos

O leonino é protetor com relação à família e gosta de falar dela com orgulho, mas para isso impõe uma condição: precisa se sentir admirado e querido. Caso não seja bem tratado ou não receba a atenção que julga merecer, pode ficar com o ego ferido e virar as costas para a família, adotando os amigos como substitutos.

Quando o assunto é amizade, o leonino é igualmente exigente. Em sua busca por súditos, ele só passa a confiar numa pessoa quando se sente reverenciado. Depois que isso acontece, torna-se um amigo leal, generoso e *expert* na elevação da autoestima dos coleguinhas – que devem ser bons, mas nunca melhores do que eles.

### Como lidar com um amigo ou parente leonino

Primeiro, aceite que o seu papel sempre será de coadjuvante. Depois, entenda que o leonino trata você como súdito, mas só escolhe os melhores súditos, portanto você deve ter algum mérito. Aí é só se livrar de todo e qualquer orgulho e apreciar essa companhia divertidíssima e cheia de *glamour*.

## SE VOCÊ NÃO GOSTA DE MIM É PORQUE TEM MAU GOSTO.

## O leonino e os relacionamentos

O "adorável" temperamento egocêntrico de Leão também se aplica aos relacionamentos. Pessoas com Vênus – planeta que representa o que gostamos – em Leão, por exemplo, acreditam que parceiro bom é aquele que sabe enaltecer e valorizar as qualidades delas.

Quando o assunto é relacionamento, o leonino precisa de alguém para exibir como troféu; alguém que possua atributos bons o bastante para merecer a honra de se relacionar com "Vossa Majestade". O leonino também se sente atraído por pessoas alegres, seguras e que apreciam a extravagância, o brilho, a glória, os troféus – e toda a pompa e circunstância da realeza.

Você gosta de gente que brilha e acha que um leonino é o seu par perfeito? Então segue um aviso importante: seus elogios nunca serão suficientes e é bem provável que não sejam retribuídos. Você está disposto a ceder o holofote?

### Para conquistar um leonino

Lamba o chão que ele pisa, diga como ele é magnânimo e não se esqueça de celebrar a existência dele a cada cinco minutos.

### Para se livrar rápido de um leonino

Trate-o como uma pessoa comum, ignore sua beleza incomparável e desobedeça cada ordem dada por ele. Outra receita que é tiro e queda: diga três vezes por dia que ele não é "tudo isso".

## SÓ ME ENGANEI QUANDO PENSEI TER ME ENGANADO.

## O leonino, a comunicação e os talentos

Dono do palco e do microfone, o leonino também demonstra sua segurança ao se comunicar. Dramático e extremamente convincente – muitos artistas têm Mercúrio nesse signo –, o leonino tem opiniões firmes e uma expressão que pode soar autoritária, visto que sua natureza tende a ser apaixonada e até um pouquinho egocêntrica.

Como é natural dos signos fixos, o leonino dificilmente muda de opinião. Portanto, se ele disse que está certo, pouco importam os argumentos bem fundamentados do coleguinha.

Superados esses obstáculos, o exuberante leonino pode levar às pessoas uma mensagem de autoestima, confiança e alegria.

---

Foi engano

– Alô, por favor o João?
– Não tem nenhum João aqui, meu bem, mas, se você quiser conversar, tenho certeza de que sou muito mais interessante. Você já deve ter ouvido falar de mim, está lembrado daquela novela chamada "Que rei sou eu?"

---

## SAINDO DA BAD.

## O leonino na via positiva

Querido leonino, talvez você tenha ignorado, mas eu o acusei de ser egocêntrico e autoritário algumas vezes aqui. A boa notícia é que chegou a hora dos elogios. (Agora você está prestando atenção, eu sei!)

Na via positiva, Leão é o signo da honra, da nobreza de caráter e da generosidade. Todos sabem que bons leoninos em posições de comando motivam seus "súditos" e sabem reconhecer a importância e serventia deles. De qualquer modo, o que você acha de aprimorar essas qualidades, considerando as características de outros colegas do zodíaco?

O aquariano, por exemplo, pode ajudar você a levar em conta o coletivo. Imagine que bacana poder usar suas qualidades para defender não apenas causas próprias, mas as de uma sociedade inteira?

O virginiano, que aos seus olhos deve parecer mirradinho e sem nenhuma autoestima, também poderá ensiná-lo sobre humildade e autocrítica. Com toda a sua segurança e um tiquinho da autocrítica virginiana, você vai ficar imbatível.

E aí? Acha que dá pra você ficar ainda melhor?

### Celebridades de Leão

- Daniela Mercury (28.07)
- Barack Obama (04.08)
- Clara Nunes (12.08)
- Alfred Hitchcock (13.08)
- Madonna (16.08)

**Um leonino falou por aí...**

"Pobre do homem que, para ter prazer, precisa da permissão do outro."
– Madonna

**LEÃO**
Orgulhosa, eu?

*(Quadrinho 1)* — A verdade é que você é orgulhosa. / De jeito nenhum!

*(Quadrinho 2)* — Então pede desculpa. / Nem morta!

# Capítulo 6

# Virgem

- **Queda:** Vênus
- **Domicílio:** Virgem

*No sexto dia, Deus viu tudo o que tinha feito e concluiu que era bom. Então, inspirado pela perfeição de sua obra, criou os virginianos.*

– Gênesis Astrológico, a criação dos virginianos

Signo de Terra, mutável e regido por Mercúrio, Virgem é o sexto signo da roda zodiacal e chega para conferir humildade e criticismo ao ego leonino. Os filhos de Virgem são o retrato da depuração, do perfeccionismo e da mente crítica.

Como o sexto signo do zodíaco, sua missão é separar o joio do trigo, por isso é natural vê-los em posições que exigem grande concentração e até servidão.

Para o virginiano, cada dia representa uma oportunidade de aprender e melhorar algo em si e no mundo. É com o signo de Virgem que aprendemos a eterna busca pela perfeição.

PORQUE SIM NÃO É RESPOSTA!

## O eu virginiano

Olhar atento, lábios tensionados e um tique nervoso que é um "charminho": essa é expressão do virginiano que você deve procurar na rua, caso não queira perguntar o signo dele diretamente e instigar uma discussão sobre a astrologia, cheia de argumentos lógicos.

Os gestos e as expressões do virginiano são típicos de alguém que vive envergonhado dos seus próprios defeitos e dos defeitos do mundo. Ansioso e perfeccionista, o virginiano nato não compreende, por exemplo, quem sai de casa sem limpar aquela sujeirinha do tênis branco ou sem repassar o desodorante cinco vezes para garantir um frescor discreto durante o dia todo.

O verdadeiro virginiano sabe que é o cuidado com os detalhes que nos torna melhores a cada dia, por isso é bem provável que seja de um virginiano a autoria do seguinte provérbio: "O operário que quer fazer um bom trabalho deve começar por afiar seus instrumentos".

## O ascendente em Virgem

Os nativos de Ascendente em Virgem tem aparência asseada, bem cuidada e um rosto agradável. Não são, em geral, pessoas barulhentas, nem chamam a atenção para si de propósito. Em seus gestos, podem ter algum sinal de mania, como ajeitar as roupas o tempo todo.

SERVIR BEM PARA SERVIR SEMPRE.

## O virginiano, as finanças e a vida profissional

Cauteloso e extremamente organizado, o virginiano tende a se sair bem quando se trata de finanças. Econômico, ele usa sua capacidade de análise para prever o futuro (sem lançar mão de artifícios esotéricos; afinal, o bom virginiano só precisa de planilhas) e, assim, consegue evitar saldos negativos e fazer sua reserva para o futuro.

No trabalho, a cautela e capacidade de organização do virginiano também são evidentes. Extremamente servil e perfeccionista, ele se destaca como assistente e analista, preferindo trabalhar nos bastidores (sempre com a "mão na massa"). Excelentes auditores, os virginianos também podem se destacar detectando pequenos defeitos em produtos e sistemas.

O virginiano é o garotinho tímido do arquivo, que quase ninguém nota, mas está lá, mantendo tudo em ordem para que os outros brilhem. Em geral, nunca faz uma coisa só – se trabalha no arquivo, nada o impede de resolver aquele *bug* chato no sistema, fazer cálculos avançados e, de brinde, corrigir os erros de gramática dos e-mails que você manda para os fornecedores. Virginianos são excelentes profissionais, porque além de muito inteligentes, são servis. Entretanto, como são críticos em demasia, podem não ser muito estimados pelos colegas que adoram pedir a ajuda deles, mas odeiam ouvir sua longa explicação sobre como o sistema deve operar.

### Profissão alternativa para o virginiano

Com a indústria automobilística cada vez mais em alta – e depois em baixa, e depois em alta de novo –, o virginiano pode correr para as montadoras com seu currículo, rumo à conquista do cargo de Especialista em Aroma de Automóveis. Não parece perfeito ficar o dia inteiro tentando corrigir a composição das borrachas, plásticos e afins, até atingir o cheirinho exato que se espera de um carro novo? Dá uma boa grana, viu?!

## TODO MUNDO TEM UM IRMÃO MEIO ZAROLHO.

## O virginiano, a família e os amigos

Embora não seja a criatura mais melosa do mundo, virginianos são zelosos com os seus, principalmente no que diz respeito aos cuidados com a saúde e com pequenas tarefas domésticas. Servis, gostam de manifestar seu amor de forma prática, comprando um remédio, dando carona até o trabalho, lavando seu prato após o almoço e etc.

Quando o assunto é amizade, esse zelo se mantém. Quem tem um amigo virginiano sabe que pode contar com ele na alegria e na tristeza, na saúde e na doença – principalmente na doença – até que a morte (ou o excesso de críticas) os separe.

### Como lidar com um amigo ou parente virginiano

Entenda que as críticas virginianas são um gesto de amor e não leve nada para o lado pessoal. Além disso, aprenda a não ficar tão preocupado quando ele disser que está morrendo de uma doença terminal; na realidade, pode ser só uma gripe. Superados esses dois obstáculos, é só aproveitar o zelo e o bom papo do seu parça virginiano.

## HÁ VAGAS: PROCURAM-SE PROFISSIONAIS QUALIFICADOS.
## O virginiano e os relacionamentos

O temperamento obsessivo-compulsivo de Virgem também se aplica aos relacionamentos. Pessoas com Vênus em Virgem sentem-se profundamente atraídas por aqueles que precisam de alguma correção e desafiam seu conceito de perfeição. Perfeccionistas, eles gostam dos diamantes brutos e de pessoas que despertam o professor que existe dentro dele. Mas é importante ser um bom aluno para que o virginiano não se canse dos seus defeitinhos!

Como Vênus não se manifesta tão bem no signo de Virgem, quem tem esse posicionamento tende a pensar e agir de forma racional e analítica, observando bem as pessoas antes de se envolver e muitas vezes racionalizando algo que era para ser simplesmente sentido. Como Virgem também tende a servir, quem tem Vênus neste signo pode demonstrar o amor através de pequenos gestos de servidão e sempre de maneira concreta, característica típica do elemento terra.

### Para conquistar um virginiano

Ao declarar o seu amor, abuse da mesóclise e da poesia, e exale a refrescância de seu creme dental ao pronunciar cada sílaba. Antes do sexo, não ouse espalhar as roupas no chão e certifique-se de que tudo está dobrado e guardado no local determinado pelo virginiano.

### Para se livrar de um virginiano

Tenha hábitos de higiene duvidosos e seja absolutamente extravagante e mal-educado. Num jantar romântico, trate mal o garçom. Ah, e quando o virginiano fizer elogios infinitos a Fernando Pessoa, diga que acha a leitura uma perda de tempo.

NÃO COLOCO DEFEITOS EM NINGUÉM, SÓ COMENTO.

## O virginiano, a comunicação e os talentos

Rei da crítica e do pretérito mais-que-perfeito, o virginiano é dotado de um raciocínio lógico exemplar, afinal, é em Virgem que Mercúrio encontra sua exaltação, ou seja, seu melhor posicionamento. O que o difere do geminiano quando o assunto é comunicação é justamente sua característica mais forte: o foco no detalhe. Enquanto o geminiano procura saber um pouco de cada assunto – e difundir a informação por aí –, o virginiano prefere o "micro", tornando-se perito em pesquisas científicas detalhadas, análises minuciosas e raciocínio lógico. Com Virgem, a comunicação é clara e direta, sem rodeios – a não ser que o detalhe seja essencial para a história.

A desvantagem aqui é que, pelo intenso criticismo deste signo, as pessoas podem não querer ouvir o que o virginiano tem a dizer. Afinal, quem é que gosta que lhe taquem a verdade na cara o tempo todo, não é? Superado esse desafio, o virginiano poderá brilhar ao solucionar mistérios, desenvolver novos métodos e avaliar fatos quando todos parecem ignorá-los.

> **Foi engano**
>
> – Alô, por favor o João?
> – Não tem ninguém aqui com esse nome, mas posso fazer algumas perguntas para entender o que o levou ao erro? Estou coletando dados para uma pesquisa sobre telefonemas por engano.

SAINDO DA *BAD*.

## O virginiano na via positiva

Querido virginiano, você certamente detectou em si mesmo os defeitos que apontei e já deve estar pesquisando na internet a melhor maneira de superá-los, não é? Mas, fique tranquilo, você também tem qualidades e esta seção foi feito para lembrá-lo disso.

Você sabia que os virginianos são grandes mestres em aprimorar as coisas e são muito prestativos, por exemplo? Também é uma característica virginiana não poupar esforços para ajudar as pessoas, seja dando uma carona, indicando um bom médico, sugerindo um remedinho...

De qualquer forma, se você quer melhorar ainda mais (e eu sei que quer!), acho que vale a pena observar as características de um colega pisciano. Através dele, você poderá aprender sobre a fé, a compaixão (principalmente consigo mesmo) e a importância de sonhar!

Também vale a pena sair do casulo e observar os colegas librianos. Embora você seja mestre em criar métodos e teorias, a vida precisa ser vivida socialmente e os librianos são mestres nisso.

E aí? Vamos dar uma saidinha?

### Celebridades de Virgem

- Madre Teresa (26.08)
- Michael Jackson (29.08)
- Freddie Mercury (05.09)
- Juscelino Kubitschek (12.09)
- Amy Winehouse (14.09)

Um virginiano falou por aí...

"Eu tenho baixa autoestima. Elogios me deixam feliz por um milésimo de segundo."

– Keanu Reeves

**VIRGEM**

Fim de namoro

*Terminei com o Marcelo, mestre.*

*Ora, Tina, mas por quê? Ele era bom para você...*

*Ai, mestre... ele deixava a lixeira do Windows cheia. Não ia dar certo...*

## Capítulo 7

# Libra

- **Exaltação:** Saturno
- **Queda:** Sol
- **Domicílio:** Vênus (noturno)
- **Exílio:** Marte

*Ao criar Adão, Deus declarou: "Não é bom que o homem esteja só; farei para ele alguém que o auxilie e lhe corresponda". Assim, criou os librianos, destinados a viver aos pares para todo o sempre.*

*— Gênesis Astrológico, a criação dos librianos*

Signo de Ar, cardinal e regido por Vênus, Libra é o sétimo signo da roda zodiacal e chega para ensinar a Virgem a necessidade de conciliar e olhar para o outro. Os filhos de Libra são o retrato da diplomacia e equilíbrio.

Como sétimo signo do zodíaco, sua missão é aparar arestas, espalhar harmonia pelo mundo e unir as pessoas.

Para os librianos, cada dia representa uma oportunidade de conciliação e parceria; uma oportunidade de olhar o mundo com os olhos dos outros. É com o signo de Libra que temos o início da primavera, onde todos voltam às ruas e a beleza se espalha através das flores.

## OS FEIOS QUE ME PERDOEM, MAS BELEZA É FUNDAMENTAL.

### O eu libriano

Cabelo arrumadinho, roupa combinando e expressão de "sorria e acene": esse é o visual de um libriano típico.

Os gestos e as expressões do libriano são típicos de alguém que deseja conquistar o mundo com seu charme e beleza. Polido e charmoso como um galã de novela, o libriano nato não compreende a agressividade e tem alergia a quem faz barraco – apesar de tratar os barraqueiros com a mesma cortesia que dispensa aos outros.

Um verdadeiro libriano sabe que as boas relações que estabelecemos é o que nos leva às conquistas, por isso, ele faz questão de projetar no mundo a imagem do diplomata.

### O ascendente em Libra

Os nativos de ascendente em Libra têm uma bela estrutura óssea e traços equilibrados, além de um sorriso charmoso, constituição elegante e voz límpida e harmoniosa. Muitas vezes, tem covinhas nas bochechas e se veste com cores suaves.

## DICA DE BELEZA: TENHA DINHEIRO.

### O libriano, as finanças e a vida profissional

Assim com o taurino, o libriano tem um fraco pelas coisas belas, por isso, pode se tornar consumista. A diferença entre esses dois signos é que, ao contrário do colega venusiano, o libriano não é obcecado por segurança e pode gastar em coisas que lhe deem *status*. Tem uma obra de arte diferentona, cobiçada pela *high society*, num leilão chique da cidade? O libriano quer comprar. Usar cueuinha Calvin Klein é a nova tática de sedução dos homens refinados? O libriano garantirá sua coleção e, nela, gastará até o último centavo.

Quando o assunto é profissão, o gosto pelo belo e pelo "social" permanece vivo no libriano, por isso ele pode se dar bem na área de relações públicas e correlatas das artes – design, decoração de interiores e outras que exijam bom gosto.

Em geral, o libriano é o responsável pela organização de todas as confraternizações da empresa, porque considera a interação social um fator de extrema importância para um ambiente de trabalho saudável. É o libriano quem apresenta o funcionário novo a todos os outros e é também ele quem coloca panos quentes nos desentendimentos, tão comuns nesse ambiente. Como ninguém é perfeito, pode ser que aquela mocinha da recepção, que flerta e sorri para todos os rapazes da empresa (todos não... só os mais gatinhos) seja libriana.

### Profissão alternativa para o libriano

Para o libriano superfocado nas interações sociais, a profissão ideal é a de Noivo por Procuração. Nessa profissão, o venusiano poderá substituir um dos pombinhos no altar na hora do "sim" e oficializar a união. Não seria uma alegria substituir alguém que, por força maior, não pode comparecer ao próprio casamento? Acho luxo, acho chique, acho libriano! Tudo em nome do amor.

## FUNDAMENTAL É MESMO O AMOR. É IMPOSSÍVEL SER FELIZ SOZINHO.

## O libriano, a família e os amigos

O libriano interage bem em família, desde que encontre nela a harmonia e refinamento necessários para se manter equilíbrio. Se a família for pouco civilizada, ele vai sorrir e acenar em todos os Natais, mas não se envolverá emocionalmente com ninguém, até que possa se livrar da situação e finalmente voltar para as pessoas que escolheu como família e veem o mundo como ele vê. Quando o assunto é amizade, o libriano não é diferente. Embora tenha talento para circular por diversos grupos e ser querido por todos (como não querer bem um colega que só sabe dizer "sim"?), o libriano considerará amigos verdadeiros apenas aqueles que dominem a arte da gentileza, da empatia e do bom senso.

### Como lidar com um amigo ou parente libriano

Entenda que ele tem dificuldade para tomar decisões e não peça opiniões sinceras – ele não consegue dizer a verdade se ela for rude! Também é prudente que você se prepare para lidar com atrasos, pois o vaidoso libriano segue um verdadeiro ritual para se arrumar, e não se magoe caso o pegue flertando cóm o seu crush (ele faz isso no piloto automático). Superados esses obstáculos, basta aproveitar a vida com esse amigo gentil, educado e cheio de contatinhos!

## TEORIA DA BRANCA DE NEVE: POR QUE SÓ TER UM SE POSSO TER SETE?

### O libriano e os relacionamentos

O temperamento galanteador e gentil de Libra se aplica, evidentemente, aos relacionamentos. Canastrão, o libriano conquista admiradores por onde passa e, embora não possa ser acusado de infiel apenas por causa do seu posicionamento astrológico, é preciso destacar: os librianos paqueram MUITO por aí, apenas pelo prazer de paquerar.

Libra é o primeiro signo social do zodíaco e marca o início das relações, por isso encontra em Vênus o seu domicílio e a compreensão do princípio da harmonia, da beleza e da parceria, afinal, é a partir deste signo que começamos a perceber o OUTRO.

Apesar da afinidade de Libra com o amor e o romance, é preciso destacar: a emoção aqui não é piegas ou melosa, como muitos insistem em afirmar. O amor de Libra mora, antes de tudo, no mundo das ideias e é daí que nasce o gosto pelo traquejo social, as gentilezas, as coisas belas e a famosa lábia que conquista os corações desavisados.

### Para conquistar um libriano

Sorria e gesticule como um profissional, ande sempre "combinandinho, sem ser cafona" e aprenda sobre vinhos, queijos e artes. Para acabar com o coração libriano de vez, evite brigas e, na primeira oportunidade de escolha, mande um "escolhe você". É tiro e queda!

### Para se livrar de um libriano

Seja grosseiro, antissocial e ande mal vestido. Troque queijo e vinhos por torresmo gorduroso e cachaça no bar da esquina e, quando for convidado para um passeio naquela galeria de arte "elegantérrima", no centro da cidade, diga que detesta essas frescuras. Ele nunca mais vai te procurar.

## SE NÃO SOUBER DIZER UMA COISA AGRADÁVEL, ENTÃO NÃO DIGA NADA.

### O libriano, a comunicação e os talentos

Dono de uma diplomacia admirável, o libriano gosta de considerar todos os lados de uma questão antes de tomar uma decisão e evita debates para fugir dos conflitos. Como seu objetivo maior é estabelecer conexões e parcerias, um bom libriano descobre bem cedo que a melhor forma de fazer isso é sendo gentil e fazendo observações ponderadas.

A desvantagem aqui é que, por conta desse excesso de gentileza e ponderação, o libriano acaba ganhando a fama de não ter opinião própria e é muitas vezes acusado de ser falso ou de ficar em cima do muro!

A vantagem, é que, por conta dessa diplomacia toda, o libriano se destaca como mediador ou relações públicas.

O libriano brilha quando pode mostrar ao mundo sua capacidade de harmonização e seu charme irresistível.

> Foi engano
>
> – Alô, por favor o João?
> – Não tem ninguém aqui com esse nome, mas... você tem uma voz bonita. O que acha de nos conhecermos melhor?

## SAINDO DA *BAD*.

### O libriano na via positiva

Querido libriano, você deve ter achado pouco gentil da minha parte ficar criticando os signos assim, sem nenhuma polidez, não é mesmo?

Se você pensou isso, fique tranquilo: reuni cada gota libriana em meu ser para gentilmente lhe dizer que o seu signo é mestre na arte do refinamento e da empatia. Você certamente sabe como deixar as coisas mais belas e agradáveis com sua natureza conciliadora e gentil.

Mesmo assim, o que acha de aprender a ser mais duro de vez em quando? O signo de Áries pode te ajudar com isso, afinal, nem sempre podemos apenas sorrir e balançar a cabeça diante das situações. Observe um colega ariano e, no momento certo, inspire-se nele para expor o que pensa e até brigar pelo que acredita. O confronto, só de vez em quando, faz parte.

Você também pode aprender bastante com os escorpianos. Eles te lembrarão que, além do mundo das aparências, existe um mundo de emoções profundas que deve ser conhecido por todos nós.

E aí? Vamos sair da superfície e mergulhar no desconhecido?

> **Celebridades de Libra**
>
> - Will Smith (25.09)
> - Gal Costa (26.09)
> - Hugh Jackman (12.10)
> - Fernanda Montenegro (16.10)
> - Garrincha (18.10)

Um libriano falou por aí...

"Olho por olho e o mundo acabará cego."
– Mahatma Ghandi

**LIBRA**
Amiga, tô chegando!

# Capítulo 8

# Escorpião

- **Queda:** Lua
- **Domicílio:** Marte (noturno)
- **Exílio:** Vênus

*E para separar luz e trevas, Deus criou o Sol, a Lua... e os escorpianos.*

– Gênesis Astrológico, a criação dos escorpianos

Signo de Água, fixo e regido por Marte e Plutão, Escorpião é o oitavo signo da roda zodiacal e chega para lembrar à Libra que nem tudo são flores. Os filhos de Escorpião são o retrato da transformação e da capacidade de enxergar o lixo do mundo.

Como oitavo signo do zodíaco, sua missão é trazer à tona as coisas feias que o mundo esconde a fim de transformá-lo num lugar melhor e mais justo.

Para os escorpianos, cada dia representa uma oportunidade de brigar apaixonadamente pela verdade absoluta. É com o signo de Escorpião que aprendemos que todos temos uma sombra e que omiti-la não é a melhor opção.

## NÃO GUARDO MÁGOA, GUARDO NOMES.

### O eu escorpiano

Olhar profundo, look sombrio e um ar de mistério que intriga todos os coleguinhas do zodíaco: essa é expressão do escorpiano típico, principalmente se o signo estiver no ascendente.

Os gestos e as expressões do escorpiano são clássicos de alguém que vê o lado feio da vida e não acredita nas boas intenções de ninguém. Observador e desconfiado, o escorpiano nato não compreende, por exemplo, quem projeta a imagem de bom moço, negando a si e aos outros a podridão que nos torna humanos.

O verdadeiro escorpiano sabe que a verdade da vida não é bela e transmite essa mensagem ao mundo, por isso, não se incomoda com a fama de "vilão do zodíaco".

### O ascendente em Escorpião

O nativo de ascendente em Escorpião tem traços fortes, aparência atraente, cabelos cheios, sobrancelhas grossas e olhos de uma intensidade quase hipnótica. Tende a olhar para baixo e, mesmo descontraída, sua expressão é intensa. Quando olha diretamente para uma pessoa, faz com que o objeto da sua atenção se sinta devassado. Mesmo quando é magro, é possível que tenha a cintura relativamente larga.

## NÃO ME JOGUE INDIRETAS, ME JOGUE MOEDAS DE OURO!

### O escorpiano, as finanças e a vida profissional

O escorpiano costuma ser extremamente prudente com as finanças. Embora tenha uma natureza passional, quando o assunto é dinheiro, ele quer garantir sua segurança e, se possível, acumular posses. Como costuma enfrentar muitas perdas ao longo da vida, é comum vê-lo adquirindo duas ou mais unidades daquilo de que gosta. O raciocínio é o seguinte: se não posso ter controle sobre os acontecimentos da vida, por que não tentar ter controle sobre as coisas materiais?

Na profissão, o escorpiano pode aproveitar seu foco e percepção incomparáveis para atuar em áreas da investigação, ciência forense, psicologia e investimentos e, embora seja naturalmente fechado, também é o nativo perfeito para cargos em que se fazem negociações, pois tem sensibilidade para identificar o próximo passo da outra parte.

Geralmente é o escorpiano quem detecta as falcatruas no local de trabalho e, quando entra um funcionário novo na "firma", basta dois segundos para que ele possa dizer se o sujeito presta ou não.

### Profissão alternativa para o escorpiano

O escorpiano entende que morrer é preciso e deixa a ilusão da imortalidade para os outros signos. Por isso, não há nada mais perfeito para ele do que uma profissão em que possa testar caixões. Sua função seria avaliar se o caixão está confortável, aconchegante e se é de boa qualidade, afinal, partir com dignidade é fundamental. Imagine só o prazer que será para um escorpiano ter uma profissão capaz de assustar os coleguinhas mais impressionáveis...

## DIGA-ME COM QUEM ANDAS E TE DIREI DE QUEM SINTO CIÚMES.

## O escorpiano, a família e os amigos

Possessivo, o escorpiano exigirá toda a atenção e apoio emocional da família. E, caso não tenha o que merece, não hesitará em fazer chantagem emocional. Como é passional, também pode armar barracos homéricos caso alguém ouse ofender ou magoar um dos seus. Portanto, se você for o protegido de um escorpiano, não reclame de ninguém com quem esteja um pouco magoado, caso não queira provocar uma terceira guerra mundial.

O escorpiano também não é a pessoa mais expansiva e simpática do mundo, por isso não é fácil ganhar a amizade dele. Em geral, prefere relações mais profundas e íntimas que uma legião de amigos só para tomar umas cachaças. Se você conquistou a amizade de um escorpiano, esteja certo: terá um companheiro dedicado e leal para o resto da vida – desde que você não pise na bola e provoque sua sede de vingança.

### Como lidar com um amigo ou parente escorpiano

Tenha paciência com as crises de ciúme e os comentários ácidos que ele fará quando se sentir deixado de lado. Também seja cuidadoso para não despertar a ira escorpiana e, caso isso aconteça, não deixe de pedir perdão e admitir que você é um verme inútil antes que ele decida colocá-lo em sua lista negra.

## TE ODEIO, ISSO É O AMOR.
## O escorpiano e os relacionamentos

O temperamento passional e "ligeiramente" apegado de Escorpião também se aplica aos seus relacionamentos. Intenso, o escorpiano busca fundir-se ao ser amado de forma espiritual e, apesar da sexualidade exacerbada, procura a mesma conexão no sexo.

Escorpião vivencia as experiências de Vênus de forma marciana e, portanto, bélica. Quem tem Vênus em Escorpião, por exemplo, gosta de um desafio; precisa buscar o parceiro que o nega para demonstrar sua força e poder de sedução, assim como quem tem Vênus em Áries. A diferença, nesse caso, é que, uma vez apaixonado, o nativo de Escorpião demora para se desapegar.

É comum ver nativos com esse planeta em Escorpião cultivando relacionamentos destrutivos, insistindo na "luta", com a esperança de vencê-la. Vênus em Escorpião aprecia o mistério, a luta pelo poder, as relações profundas e a entrega.

### Para conquistar um escorpiano

Demonstre ciúme, ligue de dez em dez minutos e capriche no "lepo-lepo". Use a palavra "eternidade" muitas vezes e conte tudo sobre você, mas sempre deixe alguma parte oculta para despertar a curiosidade dele.

### Para se livrar de um escorpiano

Seja absolutamente superficial: valorize as aparências, cultive relacionamentos por interesse e elogie os casais ioiô. Se alguém der em cima do seu par, ignore solenemente e diga que confia no seu taco. Por fim, ligue apenas uma vez por semana para falar sobre algo prático e se esqueça de dizer "eu te amo".

## PARA UM BOM PARANOICO, MEIA PALAVRA BASTA.
### O escorpiano, a comunicação e os talentos

Pessoa de poucas palavras, o escorpiano não é dado a rodeios e prefere dizer direta e objetivamente o que percebe – sempre através do "sentir" e da intuição –, mas apenas quando julga necessário. Dono de uma percepção aguçada, o escorpiano tem grande facilidade para desvendar mistérios e ler nas entrelinhas, mas dificilmente expressa o que pensa sem um objetivo muito bem determinado.

A desvantagem é que o escorpiano não sabe falar amenidades e pode irritar seu interlocutor com o excesso de mistério e de enigmas em sua linguagem cotidiana e nas atitudes em geral. A vantagem, é que, por conta da incrível percepção que tem do mundo e das pessoas, o escorpiano pode ser extremamente persuasivo.

O escorpiano brilha quando se dispõe a desvendar um enigma ou mostrar às pessoas algumas realidades duras, mas necessárias para o crescimento delas.

> Foi engano
>
> – Alô, por favor o João?
> – Não tem ninguém aqui com esse nome. Quer mesmo falar com ele ou isso é só um pretexto para falar comigo e espionar a minha vida? Se fosse você, eu pensaria duas vezes antes de se meter comigo.

## SAINDO DA *BAD*.
### O escorpiano na via positiva

Querido escorpiano, ao longo deste capítulo você deve ter acumulado muito rancor de mim, não é? Espero que possa me perdoar, afinal, estou reconhecendo agora que é de Escorpião o poder de transformar, superar e renascer! Sei que o escorpiano possui uma força interior invejável e que é desse signo o poder de reconhecer a finitude da vida.

Apesar dessas lindas qualidades, posso sugerir uma melhoria sem entrar para a sua lista negra? Sugiro que você observe um pouquinho o colega taurino (juro que recomendei isso a ele também!). Touro tem algumas qualidades que desviarão um pouco sua atenção das questões mais profundas da vida e garantirão que, só de vez em quando, você encare alguns aspectos práticos da vida, sem melindres.

Outro signo que pode ajudar a aliviar a pressão que eu sei que você carrega é Sagitário. A vida é mesmo complexa e profunda, mas às vezes é importante encará-la como uma festa para não sentir sobre os ombros todo peso do mundo.

E aí? Topa agora uma balada?

> **Celebridades de Escorpião**
> - Pablo Picasso (25.10)
> - Milton Nascimento (26.10)
> - Bill Gates (28.10)
> - Julia Roberts (28.10)
> - Marieta Severo (02.11)

Um escorpiano falou por aí...

"Se alguma vez você se aproximar de um humano – e do comportamento humano –, prepare-se para se confundir."

– Bjork

### ESCORPIÃO
Mania de perseguição

## Capítulo 9

# Sagitário

- **Domicílio:** Júpiter
- **Exílio:** Mercúrio

*O Senhor disse a Caim, "Vagarás por este mundo sem destino". Assim, inspirado nesse andarilho errante, Deus criou os sagitarianos.*

– Gênesis Astrológico, a criação dos sagitarianos

Signo de Fogo, mutável e regido por Júpiter, Sagitário é o nono signo da roda zodiacal e chega para amenizar a obsessão de Escorpião com o lado mais feio deste mundo. Os filhos de Sagitário são o retrato da liberdade, do otimismo, da fé e da necessidade de expansão.

Como o nono signo do zodíaco, sua missão é desbravar o mundo em busca de conhecimento, e é por isso que a fé e a coragem são características tão marcantes dos sagitarianos – onde já se viu um aventureiro sem coragem?

Para o sagitariano, cada dia representa uma oportunidade de ir além, conhecer o mundo e assim, tornar-se mais sábio. É com esse signo que aprendemos sobre a necessidade de transcender.

## COMO É BOM SER VIDA *LOKA*.

### O eu sagitariano

Sorrisão, carinha de conteúdo e um peito aberto, pronto para o abraço (e quem sabe, um "cuecão") – essa é face de um sagitariano clássico.

Os gestos e as expressões do sagitariano são típicos de alguém que vive para explorar a vida e suas aventuras. Expansivo e com sede de conhecimento, o sagitariano nato não compreende, por exemplo, quem tem medo da vida, ainda não tem um passaporte ou não tem interesse algum em descobrir os mistérios do Budismo (ou qualquer ismo que pareça interessante).

Um verdadeiro sagitariano sabe que o mundo é vasto e há coisas demais para se descobrir, por isso exala por cada poro sua vontade de viver como Indiana Jones.

### O ascendente em Sagitário

O nativo de ascendente em Sagitário parece forte e ativo. Seu olhar é calmo, estável, inteligente, perceptivo, aberto e sincero. É, em geral, mais alto que os nativos dos outros signos, parece confiante e conserva uma aparência jovem mesmo na meia-idade.

## GASTO METADE DO MEU SALÁRIO EM DIVERSÃO E A OUTRA METADE EM BEBIDAS. O RESTO EU DESPERDIÇO.

### O sagitariano, as finanças e a vida profissional

Expansivo e despreocupado, o sagitariano precisa ter muito cuidado com as finanças. Mesmo se tiver muita facilidade para ganhar dinheiro, pode sofrer com a falta dele em algum momento da vida, por conta dos excessos e gastos com a farra. Otimista nato, o sagitariano também precisa ter muito cuidado com os investimentos, pois ações de alto risco podem levá-lo à ruína tanto quanto os gastos com festões no fim de semana.

Quando o assunto é profissão, o ideal para o sagitariano é buscar cargos que o tirem da rotina e lhe permitam explorar o mundo, ainda que apenas intelectualmente. Sabichão, no ambiente de trabalho ele sempre tem uma resposta para todas as perguntas, mesmo que elas não façam parte da sua área de conhecimento.

O sagitariano gosta de trabalhar livremente, sem muitas regras e restrições. Para ele, pode ser muito difícil ficar trancado num escritório, viver na rotina e adotar uma postura mais séria. Sabe aquele cara que conta aquela piadinha sem noção "pra quebrar o gelo" no meio da reunião? Certamente é um sagitariano!

## Profissão alternativa para o sagitariano

O sagitariano quer orientar o mundo com sua sapiência, mas nem todos conseguem discernir a profundidade de sua enrolação filosófica. Por isso, por que não segurar um pouco a mão, aprender a resumir e dominar o mundo como um Escritor de Frases para rechear biscoitos da sorte? Como novo oráculo dos tempos modernos, o sagitariano influenciará o destino de milhares de pessoas e ainda ganhará uma graninha.

# ALEGRIA COMPARTILHADA, ALEGRIA REDOBRADA.

# O sagitariano, a família e os amigos

O sagitariano é carinhoso com a família e costuma expressar o seu amor, mas não se deixa prender por ninguém nem cede às necessidades dos seus. De espírito livre, ele não hesita em deixar a família, a casa e o país para viver suas aventuras e desbravar o mundo – o que faz das mães dos sagitarianos as mais sofredoras do zodíaco.

Quando o assunto é amizade, o sagitariano é rei. Bem-humorado, extrovertido e simpático, ele gosta de reunir pessoas e considera muito importante que todos os membros da farra sintam-se livres para ser o que são. O amigo sagitariano também pode ser uma excelente companhia para quem quer conversar sobre os mistérios da vida e do universo. A desvantagem é que ele não é do tipo apegado, por isso a amizade pode terminar tão logo ele vire as costas.

### Como lidar com um amigo ou parente sagitariano

Não se ofenda com as piadas grotescas dele, ele é assim com todo mundo. Também é essencial que você treine os ouvidos para ouvi-lo discursar sobre o que quer que seja, porque ele fará isso quer você queira, quer não. Superados esses obstáculos, é só relaxar e curtir a farra, afinal, sagitarianos são muito bons nisso!

**PROCURA-SE PARCEIRO ENGRAÇADO; GENTE SÉRIA É UM TÉDIO.**

## O sagitariano e os relacionamentos

O temperamento extravagante e libertário de Sagitário também se aplica aos relacionamentos. Extrovertido, divertido e desapegado, o sagitariano busca relacionamentos que lhe permitam se expandir e ter um novo olhar sobre a vida, as coisas e as pessoas.

Bem-humorado, o nativo de Vênus em Sagitário, por exemplo, busca pessoas que, como ele, queiram viver a vida com leveza, estejam sempre prontas para uma boa risada e não recusem a oportunidade de viver uma aventura.

Neste signo, Vênus também expressa o gosto pela cultura, por um conhecimento mais amplo, pela filosofia ou religião e também por expressões exageradas e intensas. Sendo assim, se uma pessoa, coisa ou relacionamento não é interessante, não instiga ou não oferece uma visão totalmente diferente e rica da vida e do mundo, o sagitariano parte para outra; afinal, este não é exatamente o signo do foco e da estabilidade.

### Para conquistar um sagitariano

Ria de todas as piadas dele, esteja sempre com as malas prontas para a próxima viagem e diga que adora aquela risada exagerada que ele dá.

### Para se livrar de um sagitariano

Seja adepto do mau humor diário, crie raízes e controle-o a todo momento, dizendo que ele precisa ser um pouquinho mais discreto. Em hipótese alguma ria de suas piadas.

# A INCOERÊNCIA INVEROSSÍMIL É A ANTROPOFAGIA BIOVILESCA, NÃO ACHAM?

## O sagitariano, a comunicação e os talentos

Prolixo e exagerado, o sagitariano é como uma ferramenta de busca, sempre pronta para entregar a você uma informação fresquinha – mas nem sempre profunda ou correta. Como Mercúrio está debilitado em Sagitário, é comum ver sagitarianos se expressando de forma excessivamente formal – como se tivesse engolido um dicionário – ou fazendo muita firula e rodeios para incrementar seus discursos.

Isso acontece porque o sagitariano sente necessidade de demonstrar seu saber, mas quer abraçar o mundo, logo, nem sempre consegue se aprofundar em seus conhecimentos e acaba falando demais, ou falando besteira, para ser mais exata.

Superada essa pequena dificuldade, o sagitariano pode se destacar quando aprende idiomas, mergulha em novas filosofias ou desbrava o mundo, captando um pouco de informação em cada canto.

> **Foi engano**
>
> – Alô, por favor o João?
> – Que João, aquele que te passou a mão? Hahahahaha! Não tem nenhum João aqui, parça. Mas diz aí, quem é você? De onde vem? Em que acredita? Amei esse seu sotaque!

# SAINDO DA *BAD*.

## O sagitariano na via positiva

Querido sagitariano, como bom fanfarrão, você deve ter rido bastante com as características peculiares que atribuí a você. Mas porque nem tudo é brincadeira nesta vida, achei que seu lado filosófico também ia gostar de uma massagem no ego.

Por exemplo, sei que você é rei quando o assunto gravita em torno de questões existenciais. Também sei que é através de você que exploramos o mundo, ultrapassamos limites e apreciamos a vida sem moderação. Estou certa?

Mas, gostaria de sugerir que, para aproveitar a vida com ainda mais alegria, você observe um colega geminiano.

Equilibrando as características geminianas com as suas, você poderá compreender que nem sempre é preciso viver para descobrir a razão da nossa existência. É possível e saudável viver a vida sem tanta filosofia. É só uma dica, meu caro aventureiro.

Ah! E você também pode ser muito proveitoso observar os capricornianos que o cercam. Quando a situação requer alguma seriedade, seu jeito descompromissado pode te impedir de alcançar alguns objetivos, então, por que não se inspirar neles para ganhar foco e tenacidade?

E aí? A sua flecha já tem um alvo?

### Celebridades de Sagitário

- Bruce Lee (27.11)
- Jimi Hendrix (27.11)
- Cássia Eller (10.12)
- Oscar Niemayer (15.12)
- Papa Francisco (17.12)

**Um sagitariano falou por aí…**

*"Minha mulher disse que eu estava me tornando um velho safado, então eu disse que não estava ficando velho."*

– Silvio Santos

**SAGITÁRIO**
Só o necessário

## Capítulo 10

# Capricórnio

- **Exaltação:** Marte
- **Queda:** Júpiter
- **Domicílio:** Saturno
- **Exílio:** Lua

*Como castigo, Deus disse a Adão: "Com o suor do teu rosto comerás o teu pão", e assim, criou os capricornianos, condenados à labuta eterna.*

*– Gênesis Astrológico, a criação dos capricornianos*

Signo de Terra, cardinal e regido por Saturno, Capricórnio é o décimo signo da roda zodiacal e chega para conferir responsabilidade e compromisso aos princípios de Sagitário. Os filhos de Capricórnio são o retrato da responsabilidade, da ambição, da constância e do foco. Como décimo signo do zodíaco, a missão dele é olhar para a frente, visando o progresso, através do trabalho duro e da responsabilidade.

Para os capricornianos, cada dia representa uma oportunidade para subir um degrau da escada do sucesso e é com ele que aprendemos a importância da luta para alcançarmos todos os nossos objetivos.

## TODOS OS MEUS MOVIMENTOS SÃO FRIAMENTE CALCULADOS.

### O eu capricorniano

Olhar duro, lábios comprimidos e roupinha de CEO: essa é expressão do capricorniano clássico.

Os gestos e as expressões do capricorniano são típicos de alguém que sabe que a vida é dura, a realidade cruel e é preciso batalhar muito para se chegar "lá" – mesmo que esse lá esteja longe demais. Ambicioso e regrado, o capricorniano nato não compreende, por exemplo, quem não luta para evoluir, quem passa vinte anos no mesmo cargo e quem não se importa com a influência que exerce sobre o mundo.

O verdadeiro capricorniano sabe que viemos ao mundo para deixar um legado e, como isso leva tempo, ele transmite através de suas atitudes e expressões um perfil obstinado e seguro, disposto a chegar ao topo com movimentos calculados e estratégicos.

### O ascendente em Capricórnio

Os nativos de ascendente em Capricórnio têm uma aparência circunspecta e, geralmente, não sorriem muito. Valorizam a aparência e se importam com o que as outras pessoas pensam. Quando jovens, parecem mais velhos do que são; por outro lado, os mais velhos tendem a parecer cada vez mais jovens à medida que aprendem a relaxar. Em geral, caminham com determinação e disciplina.

## SIMPATIA PARA GANHAR DINHEIRO: ACORDE CEDO E VÁ TRABALHAR.

### O capricorniano e as finanças e a vida profissional

Se há um signo no zodíaco que se preocupa com as finanças, esse signo é Capricórnio! Extremamente prudente – e até um pouco sovina –, o capricorniano dificilmente passa por dificuldades, porque programa cada passo do seu plano de crescimento. Amante do dinheiro, dos planejamentos de longo prazo, da segurança e principalmente do sucesso, o capricorniano não gasta seu suado dinheirinho em coisas que não o ajudam a chegar ao topo.

Na profissão, o foco capricorniano também prevalece. Ambicioso, ele vai trabalhar com um objetivo bem definido: alcançar o melhor cargo da empresa. Para ele não há nada mais desmotivador que arrumar um emprego cuja possibilidade de crescimento é nula.

O lado negativo de tudo isso é que o capricorniano julga ser melhor que seu superior – e muitas vezes realmente é – e pode arranjar problema por causa disso. Outra desvantagem do capricorniano no trabalho é que se mostra ranzinza e antissocial, pois se considera importante demais para ficar de papinho nos corredores.

### Profissão alternativa para o capricorniano

Para o capricorniano, eis a profissão perfeita: Mestre do Relógio – função que lhe dá poder para regular não só a vida das pessoas próximas, mas a de uma cidade inteira. Se nada der certo e ele não conseguir o título de CEO de uma grande empresa, é só correr para o Big Ben! Enquanto atua como Mestre do Relógio, o capricorniano vai garantir que todos cheguem aos seus compromissos na hora certa, garantindo a produtividade de uma cidade como Londres, por exemplo. Essa não seria uma vida cheia de oportunidades?

## LAR É UMA CONSTRUÇÃO DE VALORES E PRINCÍPIOS.

## O capricorniano, a família e os amigos

Embora não seja propriamente afetuoso, o nativo de Capricórnio preocupa-se muito em garantir à família o conforto material. Tão provedor quanto o taurino, o capricorniano dedica-se a crescer profissionalmente não apenas por suas próprias ambições, mas pelo desejo de garantir aos seus a vida que considera digna – e essa é sua forma de demonstrar amor.

Como amigo, o capricorniano é leal, mas antissocial. Por isso, se você foi escolhido por esse chifrudinho, sinta-se grato. Por não gostar de pessoas que não sejam as que ele escolheu, ele evita festas, muvuca e, se aceitar um convite seu, é provável que passe meses reclamando por ter sido obrigado a socializar. Está buscando um conselheiro e um amigo que o ajude a colocar os pés nos chão? O capricorniano é justamente essa pessoa!

### Como lidar com um amigo ou parente capricorniano

Se você tem um capricorniano em sua vida, compreenda que ele não vai aplaudir suas irresponsabilidades. Também é importante saber que ele não tem tempo para chorumelas e, infelizmente, estará sempre muito ocupado com o trabalho. Superadas as dificuldades, é só aproveitar a maturidade e sinceridade capricorniana para aceitar a realidade da vida e agir de acordo com ela.

## DECLARAÇÃO, SÓ A DO IMPOSTO DE RENDA.

### O capricorniano e os relacionamentos

O temperamento sorumbático e *grumpy cat* de Capricórnio também se aplica aos relacionamentos. Prático, realista e totalmente desprovido de romantismo, o capricorniano busca relacionamentos sólidos; por isso, nada muito fantasioso ou sentimentalista ou meloso faz a cabeça deles. Quando posicionado em Vênus, Capricórnio aprecia pessoas responsáveis e maduras, por exemplo. São nativos que gostam de sentir segurança nos relacionamentos, por isso, este é um posicionamento que valoriza a realização e o realismo.

Se você namora um capricorniano, não espere declarações passionais. Capricornianos não combinam com amores platônicos nem com ilusões amorosas, e não persistem em relacionamentos que consideram fadados ao fracasso. Em geral, nativos de Capricórnio são pessoas que tendem a estruturar bem as bases de seus relacionamentos e que se sentem mais seguras para demonstrar seus sentimentos com o passar do tempo, à medida que cresce sua confiança no parceiro.

#### Para conquistar um capricorniano

Tenha um plano de sucesso a longo prazo, seja realista e seja sócio fundador de um grupo em redes sociais que use o nome "Stop the Mimimi". Também é imprescindível que você esteja preparado para ser o grande homem ou grande mulher por trás do futuro presidente, afinal, esse é o objetivo de todo e qualquer capricorniano que se preza.

#### Para se livrar de um capricorniano

Grite para o mundo que você precisa de pouco para viver, recuse-se a fazer uma poupança e, em hipótese alguma, considere a possibilidade de encarar os fatos como eles são – o ideal é viver no mundo da fantasia. Em questão de segundos, seu capricorniano redigirá um contrato formalizando o fim do relacionamento entre vocês.

## VENDE-SE COLA PARA CORAÇÕES PARTIDOS.

### O capricorniano, a comunicação e os talentos

A mente capricorniana é prática e não se lança a mil projetos ao mesmo tempo; seu ponto forte é o foco e a objetividade. Como é sério e formal, o capricorniano se expressa de forma direta e concisa, e isso é uma faca de dois gumes: é uma desvantagem, pois ele pode se tornar uma pessoa sem imaginação e absolutamente incapaz de considerar os dois lados de uma situação. E, em contrapartida, é também uma vantagem, pois o capricorniano tem uma habilidade tão grande para identificar as oportunidades do mundo concreto, que pode se destacar como empreendedor e empresário devido a sua grande habilidade de concretizar ideias.

Capricornianos brilham quando podem explorar o mundo concreto e quando têm a oportunidade de dizer às pessoas sobre as responsabilidades de cada um neste mundo.

> Foi engano
>
> –Alô, por favor o João?
> – Não tem ninguém aqui com esse nome. Mas por acaso ele ganhou algum prêmio na loteria?

## SAINDO DA *BAD*.

### O capricorniano na via positiva

Querido capricorniano, você deve estar reclamando dos defeitos que atribuí a você até agora, não é? Deixe de mimimi, porque neste tópico eu vim falar do que te interessa: sucesso!

Sei que você é um sucesso quando se trata de capacidade de realização, responsabilidade e firmeza moral. Também sei que é de Capricórnio a honra de criar oportunidades através da consciência dos limites e regras. Ainda assim, posso te pedir para usar sua maturidade para amolecer esse coração endurecido pelas regras?

Câncer é um signo que pode te ajudar com isso! Aproxime-se de um amigo canceriano e perceba como ele acolhe as pessoas e se permite ser acolhido. Talvez você se sinta menos só neste mundo de tantas realidades duras.

Ah, também vale a pena aprender com os aquarianos se livrar de certas amarras. Se algumas regras estão duras demais (é por isso que você reclama, né?), você pode criar as suas próprias!

Viva la revolución?

> **Celebridades de Capricórnio**
>
> - Rita Lee (31.12)
> - David Bowie (08.01)
> - Elvis Presley (08.01)
> - Benjamin Franklin (17.01)
> - Muhammad Ali (17.01)

**Um capricorniano falou por aí...**

"Felicidade é ter o que fazer."
– Jô Soares

## CAPRICÓRNIO
Uma questão de valores

**Quadrinho 1:** — Tina, nesta vida, SER é mais importante do que TER.

**Quadrinho 2:** — Ser rica, por exemplo? (Tina pensa: $)

**Capítulo 11**

# Aquário

- **Domicílio:** Aquário (noturno)
- **Exílio:** Sol

*Deus disse a Adão e Eva: "Não comam do fruto da árvore que está plantada no Jardim do Éden, nem toquem nele; do contrário, vocês morrerão. Então, disse o aquariano -, recém criado à Eva: certamente não morrerão. E assim instaurou-se o caos!*

*– Gênesis Astrológico, a criação dos aquarianos*

Signo de Ar, fixo e regido por Saturno e Urano, Aquário é o décimo primeiro signo da roda zodiacal e chega para conferir um toque de rebeldia e inconformidade às regras de Capricórnio. Os filhos de Aquário são o retrato da luta em prol do coletivo, dos debates sociais e das reinvindicações: "Não vou abrir mão dos meus direitos"! Como décimo primeiro signo do zodíaco, sua missão é questionar o senso comum, por isso é natural vê-los em posições de discordância eterna e até teimosia intelectual. Para o aquariano, cada dia representa uma oportunidade de brigar por aquilo em que acredita, ainda que ninguém mais esteja do seu lado. É com o signo de Aquário que aprendemos a defender nossos ideais e os ideais daqueles que nos cercam.

## ME OBRIGUE!

### O eu aquariano

Olhar eletrizante, lábios prontos para cuspir verdades e um charmoso ar de rebeldia: essa é a expressão do aquariano que você deve procurar na rua caso queira montar um grupo de oposição ou a qualquer coisa, ou até mesmo uma gangue para combater os desmandos do sistema.

Os gestos e as expressões do aquariano são típicos de alguém que vive para questionar as regras e reinventá-las em prol da comunidade. Arisco, questionador e revolucionário, o aquariano nato não compreende, por exemplo, quem acata tudo sem questionar e quem se deixa aprisionar sem defender seu próprio espaço vital.

Um verdadeiro aquariano sabe que barreiras precisam ser quebradas, está sempre de olho no futuro e sabe que é através da criatividade e da igualdade que construiremos um mundo mais justo para todos.

### O ascendente em Aquário

Os nativos de ascendente em Aquário têm um olhar ansioso e inquieto. Tende a ser mais altos que a média e tem membros longos, o que lhes confere um jeito de andar desengonçado. Podem ter perfil atraente e clássico. Mesmo usando roupas caras, estas nunca parecem lhes cair bem.

## DINHEIRO NÃO FAZ A MINHA CABEÇA; ELA É QUE FAZ DINHEIRO!

### O aquariano, as finanças e a vida profissional

Para o aquariano, o que tem mais valor está no mundo das ideias, por isso ele tende a passar por alguns altos e baixos financeiros ao longo da vida. Embora pense no futuro, o aquariano não vê lógica em acumular bens, afinal, isso pode comprometer algo que ele preza muito, a liberdade.

Para combater a crise financeira, o ideal é que o aquariano se dedique a profissões ligadas à criatividade. Ao criar, ele usufrui da liberdade que tanto busca e, se tiver muito talento, pode até fazer fortuna. Além disso, o cargo perfeito para o aquariano é aquele que requer criatividade, mas não inclui chefe autoritário, hierarquias, nem paletó e gravata.

Sabe aquele colaborador que faz discurso para conseguir melhorias para todos os 150 mil amigos que fez no local de trabalho? É o aquariano. Ele não é necessariamente o cara das mudanças, mas sempre tem uma ideia que julga genial e TEM QUE ser executada para que os negócios alavanquem. Cheio de opinião, ele não abre mão de dizer o que pensa em todas as reuniões e não se acanha – nem muda de opinião – se tiver que bater boca com o chefe.

### Profissão alternativa para o aquariano

Para os aquarianos que realmente querem fazer algo diferente, só existe um caminho: ser Ufo Desk Officer. O Ufo Desk Officer atua naquelas agências do governo que monitoram avistamentos de OVNIs, sabe? Seria como uma espécie de "Homens de Preto", só que numa versão menos burocrática. A péssima notícia é que a última dessas agências conhecida já fechou há muito tempo; mesmo assim, aposto que um verdadeiro aquariano consegue descobrir uma aberta por aí e, se tiver sorte, quem sabe não vê um ETzinho também. Tudo pelo coletivo e pelo progresso da ciência!

## A SORTE FAZ OS PARENTES, A ESCOLHA FAZ OS AMIGOS E A UNIÃO FAZ A FORÇA.

### O aquariano, a família e os amigos

Independente, o aquariano não gosta de pessoas grudentas e costuma rejeitar as tradições familiares, fazendo dos amigos que partilham da mesma ideologia sua verdadeira família.

No papel de filho, o aquariano pode ser rebelde e contestar a autoridade dos pais que com o tempo entenderão que, no mundo do aquariano, o porquê das coisas é de suma importância. Como pai ou mãe, ele tende a criar filhos independentes e questionadores – mas nunca mais do que eles.

Na amizade, o aquariano é uma das melhores companhias que alguém pode ter. Companheiro e bom de papo, ele não poupa esforços para reunir sua turma e, por conta do seu ideal libertário, não sofre se tiver que dividir a atenção ou receber novos membros no grupo.

### Como lidar com um amigo ou parente aquariano

Concorde com o que quer que ele diga para evitar um debate sem fim. Também é importante ter um amigo influente na polícia, afinal, nunca se sabe quando um aquariano passará do limite em suas transgressões. Depois é só curtir o bom papo e a legião de amigos que o acompanha.

## PENSO, LOGO SOU SOLTEIRO.
## O aquariano e os relacionamentos

O temperamento rebelde e libertário de Aquário também se aplica aos relacionamentos. Desapegado, o aquariano busca relacionamentos que lhe permitam preservar seu espaço e o estimulem intelectualmente.

Inconformado e questionador, o aquariano gosta de pessoas que o desafiem e que, como ele, não aceitem imposições, por isso quem tem Vênus em Aquário adora uma boa companhia para trocar ideias e travar um bom debate. Relacionamentos com pessoas restritivas – que limitam os movimentos sociais dele – afugentam o nativo de Aquário, porque ele se expressa através do grupo (e este é mais importante que o seu par). Assim, por conta da importância do grupo, pode ser que o nativo de Aquário encontre o amor dentro do seu círculo de amizades.

Você namora um aquariano? Tenha em mente a seguinte regra: se você o ama, deixe-o livre.

### Para conquistar um aquariano

Nunca procure por ele, rejeite cada investida, vista sempre sua camisetinha comunista e diga que prefere seus amigos a namoradinhos. No sexo, afirme que sempre sonhou em transar com alguém vestido de ET. Por fim, certifique-se de gritar aos quatro ventos que relacionamentos abertos são o máximo!

### Para se livrar de um aquariano

Concorde com tudo o que ele diz, ligue de cinco em cinco minutos para dizer que está com saudades e afirme três vezes ao dia que não suporta gente rebelde e que as regras existem para serem seguidas. Você nunca mais verá o aquariano outra vez.

## PENSAMENTO: OU ENTRA NA MINHA LINHA, OU SAI DA MINHA RETA.

### O aquariano, a comunicação e os talentos

Dono de uma opinião forte, o aquariano tem a mente inquieta, original e livre. Por ser irredutível (e, é claro, ele vai discordar dessa afirmação) e provocador, este nativo tende a se expressar com extrema segurança e, muitas vezes, dizer coisas que são o estopim de discussões e debates.

Na via negativa, o comunicador aquariano pode ser uma pessoa inflexível, que não se deixa convencer pelo argumento do outro – mesmo que faça sentido – apenas para contrariar.

Na via positiva, o aquariano pode usar sua força de comunicação para lutar pelos seus ideais, defendendo grandes grupos.

Aquarianos brilham quando têm a oportunidade de lutar em benefício daquilo em que acreditam e quando exploram sua criatividade.

> Foi engano
>
> – Alô, por favor o João?
> – Não tem ninguém aqui com esse nome, mas, se você curte o Che Guevara, acho que podemos ser amigos.

## SAINDO DA *BAD*.

### O aquariano na via positiva

Querido aquariano, sei que você discordou de tudo que eu disse até agora e, mesmo que tenha chegado a hora do elogio, imagino que vá continuar discordando. Não tem problema, viu? Eu ainda gostaria de dizer que sei que é de Aquário a habilidade de valorizar o coletivo e brigar por ideais sem abrir mão dos seus direitos. Aquarianos, como Martin Luther King, acreditam que "aquele que aceita o mal sem protestar está cooperando com ele", por isso não se calam diante daquilo que lhes é imposto!

Posso sugerir algo para te ajudar a melhorar, apesar dessas características tão fortes que mencionei?

Sugiro que, como os leoninos, de vez em quando você olhe para si mesmo. A bandeira alheia nem sempre deve ser levantada. Às vezes você pode advogar em causa própria, pode olhar pra si e tentar se conhecer... Enfim, às vezes se preocupar apenas consigo mesmo pode ser o suficiente.

Também sugiro que, como os piscianos, você aprenda a se adaptar. Às vezes, viver disputando braço de ferro não é inteligente, e a causa que você quer ganhar pode ficar mais fácil se você se inspirar no jogo de cintura dos piscianos.

E aí? Vamos soltar esse quadril?

### Celebridades de Aquário

- Oprah Winfrey (29.01)
- Neymar (05.02)
- James Dean (08.02)
- Carmem Miranda (09.02)
- Galileo Galilei (15.02)

Um aquariano falou por aí...

> "Use sua vida para ser útil ao mundo e você descobrirá que isso também é útil para você."
>
> – Oprah Winfrey

### AQUÁRIO

Aquário, o rei da contradição

## Capítulo 12

# Peixes

- **Exaltação:** Vênus
- **Domicílio:** Júpiter
- **Exílio:** Mercúrio

*Noé lavrou a terra e plantou uma vinha. Depois bebeu do vinho, embebedou-se e descobriu no meio de sua tenda um pequeno pisciano. Seria uma miragem?*

– Gênesis Astrológico, da criação dos piscianos

Signo de Água, mutável e regido por Júpiter e Netuno, Peixes é o décimo segundo signo da roda zodiacal e chega para conferir maleabilidade e compaixão à rebeldia aquariana. Os filhos de Peixes são o retrato da adaptação, da fé e da sensibilidade.

Como décimo segundo signo do zodíaco, sua missão é mostrar ao mundo que é preciso crer no invisível e nas pessoas.

Para os piscianos, cada dia representa uma oportunidade de sonhar com um mundo mais colorido, misericordioso e cheio de fé. É com o signo de Peixes que terminamos de aprender as lições do zodíaco e aprendemos a confiar em tudo aquilo que ainda não conhecemos.

## NINGUÉM TEM PACIÊNCIA COMIGO.
### O eu pisciano

Com seus olhos de ressaca, à primeira vista, o pisciano parece estar em outro mundo e, olhando mais a fundo, você descobre que estão mesmo.

Seus gestos e expressões são típicos de pessoas sensíveis, que viram a dor do mundo e decidiram fugir dela, por isso o pisciano não compreende gente excessivamente prática, que vive apegada à realidade concreta. Afinal, como alguém poderia escolher viver em meio a tamanha amargura?

Criativo, sonhador e extremamente otimista, o pisciano faz do devaneio a sua opção de vida e, devido a sua capacidade de colorir o mundo e escapar da realidade, se incumbe de ajudar os aflitos com suas palavras de fé e amor.

É o pisciano autêntico que sabe que a vida é dura, mas acredita que, com mais arte, amor, tolerância e fé, ela pode ser melhor!

### O ascendente em Peixes

Os nativos de ascendente em Peixes têm um ar de mistério. Seus olhos revelam sensibilidade e, geralmente, eles têm um sorriso caloroso e uma forte empatia. Seu jeito de ser é tranquilo. São pessoas acessíveis, que dão a impressão de realmente compreenderem os sofrimentos e as misérias humanas. Mesmo que sejam esguios ou tenham traços delicados, possuem uma força interior que parece irradiar do fundo da alma.

## SE TUDO QUE VAI, VOLTA, MEU DINHEIRO SE PERDEU NO CAMINHO.
### O pisciano, as finanças e a profissão

A vida financeira pisciana é tão caótica quanto sua própria personalidade. Os peixinhos têm sérias dificuldades para lidar com o mundo material e entender a importância do dinheiro, por isso não se preocupam em poupar, não hesitam em emprestar dinheiro e, na maioria das vezes, mal sabem quais são suas contas fixas mensais.

Diferente de Sagitário (seu irmão jupteriano), Peixes não é esbanjador. O mal aqui é que eles podem querer "viver das artes e das coisas que a terra dá", sem pensar na remuneração, nas contas a pagar etc.

Na carreira, os piscianos são perfeitos para a área de criação e ficam sempre muito gratos por qualquer oportunidade oferecida a eles. Sensíveis, sacrificam-se em prol da filosofia da empresa e não se vendem por um cargo superior.

O problema do pisciano no trabalho, é que, se você não presenteá-lo com uma agenda e um organizador, ele vai se esquecer dos prazos e tarefas importantes, porque não é muito bom com os aspectos práticos da vida. Quando você o encontrar parado olhando para o nada, não brigue com ele; ele não está dormindo, só está tentando trabalhar por telepatia.

### Profissão alternativa para o pisciano

O pisciano tem um jeito todo especial de criar aquele clima e entrar numa viagem pessoal, então, por que não usar isso para algo que dê dinheiro, só para variar? Como já dizia Madonna, vivemos num mundo materialista!

Na profissão de carpideira, o pisciano vai receber para chorar por mortos que nunca viu na vida e de quebra terá o privilégio de trabalhar numa profissão supertradicional e que precisa ser mantida, afinal, cuidar das almas dos que já foram é uma tarefa muito nobre.

## O ESSENCIAL É INVISÍVEL AOS OLHOS.

## O pisciano, a família e os amigos

Devotado, o pisciano é extremamente amoroso e sensível com relação aos problemas da família. Quando alguém adoece ou sofre por qualquer tipo de problema, o pisciano sofre e adoece junto, compartilhando dores e absorvendo angústias.

Quando quem tem um problema é o pisciano, a família também pode sofrer junto. Escapista, ele pode se entregar a vícios e à depressão. Isso acontece porque seu mundo interior é tão rico e mágico que lidar com a realidade pode ser difícil e extremamente decepcionante, mantendo-o numa posição de vítima, caso isso lhe garanta o amor e a atenção daqueles que o cercam.

Na amizade, o pisciano é igualmente devotado e sensível. Compreensivo, ele é um excelente ouvinte (desde que o seu mundo interior não esteja caótico e cause distrações) e sempre tem uma palavra de esperança para oferecer a um amigo em apuros. Ter um amigo pisciano é a garantia de um mundo mais rico, colorido e cheio de imaginação!

### Como lidar com um amigo ou parente pisciano

Não reclame se precisar repetir a mesma frase mais de uma vez porque ele se distraiu com uma borboleta. Também é importante ter sempre à mão folhetos contra drogas, alcoolismo e fanatismo religioso, afinal, o pisciano pode exagerar no escapismo e precisar da sua ajuda a qualquer momento. Depois, é só aproveitar todo o amor e fé piscianos e contar com alguém para o resto da vida!

## VIVO DE ROLOS: GOSTO DAS PESSOAS QUE ME ENROLAM.
## O pisciano e os relacionamentos

O temperamento romântico e sonhador de Peixes também se aplica aos relacionamentos. Sonhadores e até um pouco iludidos, os piscianos buscam relacionamentos que lhe permitam expressar as emoções de forma livre.

Crédulos e escapistas, nativos de Vênus em Peixes, por exemplo, buscam pessoas que, como eles, apreciam as artes, a música, as cores e tudo aquilo que lhes permite viver de forma lúdica e cinematográfica.

O amor de Peixes gera um gosto pela sensibilidade, pelo amor lúdico, pela fantasia, pelo romantismo e pela sensibilidade artística. Devido à natureza mutável do signo e a afinidade com Júpiter (planeta de expansão e regente de Peixes na Astrologia Clássica), também é comum ver piscianos com um histórico de muitos relacionamentos, sempre intensos.

Na via negativa, pode haver um sentimentalismo excessivo: é comum ouvir de piscianos relatos de que são verdadeiros sofredores, como eram os poetas antigos que se sacrificavam por amor.

### Para conquistar um pisciano

Crie um mundo paralelo só para vocês e convide-o para viver nele. Certifique-se de manter um grande sortimento de cachaça na geladeira deste mundo novo. É batata!

### Para se livrar de um pisciano

Seja rude, destrua todos os sonhos dele com uma fria e dura realidade, negue a ele a cachaça (haxixe, santo daime, cogumelos alucinógenos e similares) e não permita que ele leia histórias de amor. O pisciano perderá a vontade de viver e de olhar na sua cara.

## NÃO ESTOU DORMINDO, ESTOU PENSANDO!
### O pisciano, a comunicação e os talentos

O pisciano é excêntrico quando o assunto é comunicação. Dotado de uma imaginação fértil e de um jeito pouco objetivo de se comunicar, quem tem Mercúrio em Peixes tende ao devaneio, pode perder o foco e, muitas vezes, tende a preferir o abstrato. Isso acontece porque, enquanto Mercúrio rege o raciocínio lógico e a comunicação direta e objetiva, o signo de Peixes é todo sonho, fadas, duendes, unicórnios, isso sem falar nos elefantes cor-de-rosa voando pela sala...

A desvantagem desse posicionamento é clara: pode haver falha na compreensão das mensagens devido à tendência ao devaneio, pois, ao se comunicarem, os peixinhos podem parecer estar sob o efeito de cogumelos alucinógenos.

Na via positiva, essas características podem tornar o pisciano um grande poeta ou compositor, afinal, a arte é fruto do sonho e da imaginação.

Piscianos brilham ao compartilhar com o mundo os seus sonhos e a sua fé.

> Foi engano
> – Alô, por favor o João?
> – Oi, tudo bem?! Como vai a família?
> – João, você está com uma voz diferente...
> – João? Não, aqui é o Antônio. Você quer falar com quem mesmo?

## SAINDO DA *BAD*.
### O pisciano na via positiva

Querido pisciano, distraído como é, você pode nem ter notado que já peguei bastante no seu pé por aqui. Posso contar com sua atenção, agora que vou dizer o quanto você é especial?

Você sabia que é de Peixes a capacidade de sonhar para criar situações favoráveis para si e para os outros? Peixes também é o signo que representa a capacidade de adaptação, a compaixão e a sensibilidade – características imprescindíveis num mundo tão endurecido.

Como você é do signo que percebe o invisível e encontra dentro de si as forças de que precisa para encarar a vida, posso pedir que observe o colega virginiano? As características dele, apesar de parecerem rígidas demais para alguém como você, podem te ajudar com os aspectos práticos da vida. Ter uma agenda e observar alguns detalhes importantes não te fará tão mal assim, prometo!

Ah, e se o mundo parece um pouco cruel demais, também recomendo que observe um colega ariano. Um treinamento intensivo com ele conferirá a você a força necessária para gritar de volta quando for preciso.

E aí? Te convenci a vencer a realidade? Espero que sim.

> **Celebridades de Peixes**
> - Steve Jobs (24.02)
> - Elizabeth Taylor (27.02)
> - Hebe Camargo (08.03)
> - Albert Einstein (14.03)
> - Elis Regina (17.03)

Um pisciano falou por aí...

"A imaginação é mais importante que o conhecimento."

– Albert Einstein

**PEIXES**
Distraída, eu?

# Parte II

A culpa é
das estrelas

# A CULPA NÃO É MINHA. É DO MEU SIGNO!

## Relatos da vida real (ou não)

Quem é que nunca atribuiu uma mania, um acontecimento ou uma situação ao signo solar, afirmando que "a culpa é das estrelas"? Todos os dias, vivenciamos experiências que se encaixam tão perfeitamente nos arquétipos dos signos, que fica difícil ignorar a "coincidência". Então, para reforçar essa ideia, você verá a seguir algumas situações comuns (e outras nem tanto) que poderiam representar perfeitamente cada um dos signos e seus nativos "puro-sangue".

# Capítulo 13

# Os Signos e o Juízo Final
## Como cada signo prestaria contas ao Todo-Poderoso?

A crença de que, em algum momento, responderemos por nossos atos na Terra é comum a muitas religiões. Sendo assim, por que não pensar na reação de cada signo solar no momento do Juízo Final? Conheça a reação do seu signo diante do Todo-Poderoso e prepare-se para esse momento fatídico!

## O ariano no Juízo Final

Diante de Deus, e após a apresentação do filminho com os melhores momentos da sua vida (um filme de ação dos bons!), o ariano se defende:

– Sou sincero, p*rra! Confesso que pequei por precipitação, só arranjei briga e não tenho a mínima paciência! Só que esse episódio do metrô apresentado no filme não é justo nem f*dendo. É verdade que me desentendi com o carinha, mas o Senhor reparou que ele estava parado à esquerda da escada rolante? Muito irritante para um paulistano típico. Todo mundo sabe que temos que deixar a m*rda da esquerda livre para que as pessoas que não têm tempo a perder possam passar. Que culpa eu tenho se algumas pessoas são lerdas e irritantes? O Senhor há de convir, a vida é curta. Tudo o que fiz foi me certificar de que não desperdiçaria um único segundo.

## O taurino no Juízo Final

Insatisfeito com a poltrona desconfortável e sentindo falta de uma pipoquinha, o taurino sai da sala de vídeo do Juízo Final e escuta o parecer do Todo-Poderoso. Teimoso, não espera a conclusão do julgamento e diz:

– Então o Senhor me acusa de ser passivo, guloso, materialista e, além de tudo, teimoso? Ora, mas que absurdo! Tudo o que fiz foi economizar minha energia para o que era realmente necessário, isso não é preguiça! O senhor viu o ariano! Ser apressadinho não adianta nada. E quando não emprestei aquele livro para a Flavinha, eu não estava negando um livro a ela, estava negando o MEU livro, entende a diferença? Eu teria comprado um para ela, mas aquele era o MEU LIVRO! MEU! Só dou valor ao prazer e conforto, o Senhor está equivocado se pensa que isso é pecado.

E, depois de argumentar por cinco horas, ele repete:

– Eu não sou teimoso, viu?!

## O geminiano no Juízo Final

Enquanto seus melhores momentos eram exibidos, o geminiano tecia comentários sobre a própria vida com o colega desconhecido da poltrona ao lado – membro do júri e amigo do "cara lá de cima", como ele soube depois. Ao final da apresentação, foi acusado de fofoqueiro, mentiroso e dispersivo. Calmamente e com um sorriso maroto nos lábios, o geminiano argumenta:

– E aí, parça? Como está o Senhor? Conheci seu amigo, o Pedrão, lá na sala de vídeos. Cara bacana! Ele comentou comigo sobre um pequeno atrito entre o seu filho e um tal de Judas. Coisa chata, hein, irmão? Sobre os pequenos incidentes na minha vida, será que a gente não poderia deixar pra lá? O que acha de uma maratona de *Star Wars*? Eu, você, o Pedrão... De repente a gente até toma uma cervejinha. Que acha? Vai ser maneiro!

## O canceriano no Juízo Final

Saudoso, ele chora toda vez que sua mamãezinha querida aparece no vídeo. Ao final da apresentação, é acusado de ser apegado e mestre em chantagem emocional. Magoado, ele argumenta:

– Como pai, o Senhor acha que é justo dizer isso de alguém que fez tudo por amor e pelo bem da família? Como o Senhor vai encarar seu rosto no espelho depois de mandar uma pessoa como eu para o inferno? O Senhor sabe que não se sentirá bem, afinal, um Deus de verdade não faria isso contra alguém que, abnegado, subiu mil degraus de joelho num dia de sol escaldante de 1942 em seu nome.

E assim, o canceriano se livra dos castigos e coloca seu juiz no cantinho da disciplina para pensar sobre a vida.

## O leonino no Juízo Final

Ao final da exibição de seu longa-metragem, o leonino aplaude a si mesmo e pede bis. O "Chefão", no entanto, não parece muito contente com o resultado da obra e o acusa de egocêntrico e soberbo. Em sua defesa, o leonino manda o seguinte discurso:

– EU não sou egocêntrico. Ao contrário, EU sou uma pessoa muito generosa. Pergunte aos meus súdit... digo, ex-funcionários. Todos eles me serviam com muito prazer. EU estou certo de que fui muito amado por todos. O Senhor não viu o meu filme? EU estava maravilhoso. Aposto que isso é inveja.

## O virginiano no Juízo Final

Decepcionado com o seu próprio desempenho e com o desempenho dos editores dos vídeos, que excluíram da edição detalhes importantíssimos da sua vida, o virginiano já sabe o que o espera antes mesmo do final da exibição. Como ele previa, foi acusado de ser crítico e implicante. Enquanto estala os dedos compulsivamente, expressando o nervosismo sentido pela exposição de seus erros, ele argumenta:

– Não tive a intenção de cometer nenhum desses erros. Fui crítico, porque queria que as pessoas fossem melhores do que eram; eu queria ser útil. Analisei tudo meticulosamente, mas não foi o suficiente. Tenho que analisar tudo novamente para encontrar o erro. Será que posso ter outra chance? Se eu puder tentar novamente, farei tudo perfeitamente. Ah, e se me permite o comentário, gostaria de dizer que a placa da sala foi escrita de forma incorreta. Juízo tem acento no "i".

## O libriano no Juízo Final

Enquanto assiste seu filme da vida, o libriano sorri satisfeito e conclui que sua obra é de um bom gosto sem fim, afinal, ele sempre foi polido e cada elemento escolhido (figurino, cenário e atores) por ele faz com que a história pareça um filme de Vincente Minnelli. O Todo-Poderoso, no entanto, o acusa de ser fútil, "bico doce" e frouxo, deixando o libriano indignado com a falta de cordialidade. Em sua defesa, ele diz:

– Primeiramente, boa tarde, Senhor. Como vai? Adorei o corte da sua barba! Poderia me dar o endereço do barbeiro, por favor? Sobre a sua visão a respeito do que fiz com a minha vida, peço que veja os dois lados da questão. Na ocasião, entendi que minha missão era levar beleza às pessoas e, se não tomei partido, foi porque não gosto de conflitos. Quanto às minhas traições amorosas, o senhor é o culpado, afinal, é o artista. Como pode esculpir seres tão belos?

## O escorpiano no Juízo Final

O filme do escorpiano é um drama para ninguém botar defeito. Enquanto assiste e revive com emoção cada momento, engolindo o choro – porque demonstrar fraqueza é coisa para daminhas vitorianas –, ele pensa sobre cada momento de transformação sofrida que encarou e, no momento da verdade, é acusado de rancoroso, manipulador e paranoico, com mania de perseguição. Então, ele argumenta com intensidade no olhar e tom de voz levemente persuasivo:

– Eu não deveria prestar contas por isso. O Carlos, ele sim, é que deveria. Ele é que me fez mal; ele é que me prejudicou. Fui traído, o senhor não vê? Eu não teria me vingado se ele não tivesse agido pelas minhas costas. O senhor vai me mandar para o inferno por ter me defendido de alguém que queria me prejudicar? Tudo bem, mas isso não vai ficar assim...

## O sagitariano no Juízo Final

O sagitariano acha o seu filminho muito bacana e, despreocupado, aguarda otimista o momento de seu encontro com Deus – cara que ele admira desde a catequese. Deus, no entanto, é bem menos otimista e o acusa de irresponsável, lembrando-o dos muitos exageros cometidos ao longo da vida. Levando na brincadeira – porque ele tem fé de que seja tudo só uma pegadinha –, o sagitariano diz:

– Senhor, ó Senhor. Sabes como te admiro, não é? Olha, eu tomei umas e outras, atrasei em alguns compromissos, viajei muito, comi muito, bebi muito e contei com a sorte inúmeras vezes, é verdade. Mas rezei antes de cada uma dessas bobagens na esperança de o Senhor fosse um cara legal. Não vai me desapontar, né?

## O capricorniano no Juízo Final

O capricorniano chega à sala de vídeo do Juízo Final muito ciente de seus pecados e pronto para arcar com a responsabilidade dos seus atos. Assiste tudo sem expressar emoção e ouve do Todo-Poderoso (que o capricorniano nem acha tão poderoso assim) que ele foi rígido, oportunista e antissocial durante sua estadia na Terra. Em sua defesa, ele não argumenta, apenas confessa:

– Fiz o que era preciso para chegar onde queria. Eu não tinha tempo para pessoas ou frivolidades. Assim, fiz o que queria e não estou arrependido. Como castigo, sugiro que o senhor faça de mim o seu servo e ajudante.

Então, o capricorniano tornou-se servo de Deus e começou sua escalada rumo ao poder, afinal, ele seria um "Todo-Poderoso" muito melhor.

## O aquariano no Juízo Final

Entra na sala de vídeo batendo panela e se recusa a assistir ao que ele chama de "papagaiada nonsense". Amarrado na cadeira e com uma bola de meia na boca, ele assiste ao filme da sua vida – que ele JURA ter sido manipulado pela edição – e, ao se encontrar com Deus, é acusado de ser rebelde e cabeça-dura. Em sua defesa, ele diz:

– QUEM É VOCÊ PRA ME DIZER O QUE É PECADO, HEIN? HEIN? Quem me garante que você é mesmo o "criador"? Você pode provar? Eu D-U-V-I-D-O.

## O pisciano no Juízo Final

O pisciano entra na sala de vídeo em prece e de cabeça baixa, crendo que, seja lá qual tenha sido seu pecado, ele será perdoado, afinal, é muito bonzinho. Deus, no entanto, apesar de grato pelas orações do peixinho tão religioso, o acusa de vitimista e sonhador, mencionando todas as vezes que ele fugiu da realidade sem piedade. O pisciano, amedrontado e incapaz de emitir qualquer argumento, pensa:

"Que seja só um sonho, que seja só um sonho... Por favor, Senhor, faça com que isso seja um sonho."

**Capítulo 14**

# O Bêbado de cada Signo
## Quem chora, quem dá show, quem liga para o ex...?

Passar pela vida sem uma experiência de quase morte pós-bebedeira é praticamente impossível. Cachaceiro ou não, em algum momento da vida, todo mundo terá sua história de bêbado para contar. Mas, para você que ainda não passou por essa experiência (ou já passou, mas quer rir de si mesmo), fizemos uma prévia dessas histórias, considerando o perfil de cada signo.

## O bêbado ariano

Se o ariano já gosta de um desafio e é naturalmente impulsivo quando sóbrio, nem queira imaginar como é um ariano bêbado. Ele faz aposta com o sagitariano sem noção da turma pra ver quem bebe mais e, quando já está bem mamado, parte para a briga, escolhendo um libriano desavisado para aplicar todos os seus planos de provocação. Se o libriano não ceder, ele encrenca com o primeiro que esbarrar no braço dele e, se conseguir ficar de pé, senta porrada na criatura.

## O bêbado taurino

Mais interessante que saber como um taurino se comporta quando está bêbado, é entender a razão que o fez ficar assim. Taurinos são os reis do "deixa provar?". Começam com uma cervejinha, mas aí olham a caipirinha do amiguinho, ficam com vontade e pedem uma também (mas não ouse dar uma bicadinha no drinque dele, viu?!). Quando o final da noite chega, ele já "experimentou" todos os drinques do menu, está "pra lá de Bagdá" e o que resta é juntar as cadeiras e tirar uma soneguinha. No dia seguinte, afirmará categoricamente que NÃO estava bêbado.

## O bêbado geminiano

Se o geminiano já fala muito quando sóbrio, a quantidade de palavras por minuto deve ser elevada à décima potência quando ele está bêbado. Sabe aquele cara que, quando bêbado, conta a mesma história umas vinte vezes para se certificar de que todo mundo ouviu? É o geminiano! É certo que todos ouviram – por livre e espontânea obrigação –, mas a possibilidade de ninguém ter entendido é grande, afinal, quando um geminiano bebe, pensa que está falando "paralelepípedo" quando na verdade, quem está em volta só ouve "Pal-e-el-pí-pi-do".

## O bêbado canceriano

Bêbado chorão, o canceriano abre a caixinha de memórias e conta – com chagas no coração – sobre como foi triste o dia em que a mamãe esqueceu de colocar o sanduíche dele na lancheirinha, numa manhã chuvosa de 1994. Doeu, doeu muito! E abre o berreiro. Depois de encostar a cabecinha no ombro de todo mundo e chorar, ele ativa o modo "ursinho carinhoso" que habita em seu ser para abraçar (até os olhos da pessoa esbugalharem) cada um dos amigos e dizer aos prantos: "Você sabe que eu te amo, né, cara?!".

## O bêbado leonino

Se você tiver o azar de ter um leonino bêbado ao seu lado, certifique-se de esconder o violão. Se um leonino já gosta de palco quando sóbrio, chapado é ainda pior! Hits como "Dormi na Praça", "Evidências" e "Borbulhas de Amor" fazem parte da seleção dos leoninos alcoolizados. Ao final de cada música, ele vai exigir que todos batam palmas, mas, generoso que é, não deixará de dedicar aquela música bem brega a você.

## O bêbado virginiano

Antes de beber, passa o guardanapo no copinho para garantir a limpeza. Depois da cachaça, reclama da demora do garçom, reclama do excesso de gelo (ou da falta dele), reclama da música e, quando todo mundo está feliz e se divertindo, diz que quer ir embora, porque o banheiro da balada é nojento e ele quer vomitar na segurança de seu lar, onde tudo é cuidadosamente desinfetado.

## O bêbado libriano

Se estiver solteiro, o libriano sente falta de um par e liga para a ex que chutou há um mês, na maior cara de pau (mas sem perder o charme e a diplomacia, claro!). Diz que já teve mulheres de todas as cores, de várias idades e de muitos amores, mas ninguém o fez tão feliz quanto ela faz. Conquistador, convida a criatura para um jantarzinho num lugar mais reservado e, no dia seguinte, acorda no motel com amnésia alcoólica, arrependido e culpando o amigo que o deixou ligar.

## O bêbado escorpiano

O escorpiano fica taradinho e quer seduzir todo mundo até ao sugar o canudinho, enquanto manda pra dentro uma caipirinha. Alisa a bartender, alisa o manobrista do estacionamento e alisa até o melhor amigo. Se algum deles não corresponder, despertará a fúria marciana e terá que ter um saco de Papai Noel para ouvir as ameaças do escorpiano rejeitado.

## O bêbado sagitariano

É aquele que pede a saideira 150 mil vezes e se o gerente disser que a balada está fechando, ele diz que não vai, porque ainda não bebeu o suficiente. Filósofo, faz questionamentos sobre a razão para estarmos neste mundo e começa um monólogo cheio de palavras que ninguém entende e sem hora para terminar, sobre como a vida é maravilhosa e precisa de um sentido mais amplo.

## O bêbado capricorniano

O capricorniano só sai pra beber na happy hour, porque tem que fazer média. Metido a magnata, manda vir uma rodada por conta dele, só pra mostrar que pode para o pessoal da "firma". Depois de consumir toda a bebida chique que comprou – que eram os olhos da cara, mas por isso mesmo ele tinha que beber – e ser nocauteado pelo álcool, o capricorniano fica introspectivo, se afasta do restante do pessoal e banca o bêbado solitário.

## O bêbado aquariano

Se alguém disser que o Che Guevara, apesar de revolucionário, era racista e homofóbico, ele vai bater na mesa e dizer que não é. O objetivo do aquariano é bater boca e trocar ideia, tanto faz se ele tem razão ou não – afinal, ninguém tem razão quando está bêbado. Depois de tirar todos os amigos sóbrios do sério com suas discordâncias sem sentido, ele desencana, abraça o desconhecido da mesa do lado e diz "esse cara é meu amigo!".

## O bêbado pisciano

Diz que está vendo duendes, fadas, gnomos, unicórnios, e compartilha suas experiências de conexão com o cosmos. Esotérico, diz pra todo mundo que é bruxo e começa a fazer leitura nas borras de café, caipirinha, cuba libre e tequila – depois de beber "tutchinho", é claro. Para cada amigo sortudo que tem o prazer de consultar o peixinho "guru", ele prevê uma desgraça iminente.

# Capítulo 15

# A "Deprê" de cada Signo
## Manual de sobrevivência para quem levou um pé na bunda

Quando assinamos o contrato do amor, é necessário ler as letras miúdas que incluem o pé na bunda e suas dolorosas consequências. Por isso, para você que ama, mas nunca levou um pé na bunda – ou você que já levou, mas quer rir da situação – fiz um relato de caso especial. Então, meu querido leitor, leia sobre como cada signo reage ao pé na bunda e prepare-se para os tipos de reações possíveis!

## O ariano depois do pé na bunda

Pode ser que o ariano quebre uns pratos e soque o travesseiro para extravasar, mas isso deve durar um dia ou dois, no máximo. Ariano não tem tempo a perder e não suporta sentir piedade de si mesmo. Se você deu um pé na bunda de um ariano esperando que ele ficasse cinquenta dias e cinquenta noites ouvindo a música "Love Hurts" na "versão sofrência" da Cher e chorando por sua causa, sinto te decepcionar, mas não vai acontecer. Ele já deve estar em outra.

## O taurino depois do pé na bunda

Se você terminar com um taurino, ele não vai atrás de você. Taurino é teimoso e todas as decisões que ele toma – muito lentamente, aliás – são definitivas. Ele vai se enrolar num cobertor, sentar no sofá para ver um drama bem meloso na TV, com um pote de sorvete na mão (qualquer semelhança com "O Diário de Bridget Jones" não é mera coincidência).

Ele vai chorar e sofrer, mas não vai te ligar pedindo para voltar. Taurino perde o parceiro, mas não abre mão do direito de ser teimoso e cabeça-dura.

## O geminiano depois do pé na bunda

Ele vai tentar discutir a relação – racionalmente, é claro. Se você está achando que a tentativa de discutir a relação é um gesto de amor, não seja ingênuo, pois só ele vai querer falar e nós sabemos disso. Ao fim do longo debate, se você decidir que quer mesmo terminar, prepare-se para cair na boca do povo. O geminiano precisa comentar sobre todas as coisas e, ainda que não queira fazer fofoca, durante a conversa pode ser que deixe escapar, no ardor do momento, que o seu desempenho sexual não era tão satisfatório.

## O canceriano depois do pé na bunda

Se você namorou um canceriano, deveria saber que era para sempre. Não se termina um relacionamento com um canceriano! O pessoal de Câncer é apegado, sensível e não gosta de largar o osso. Romper com eles pode ser traumático. Quando você diz que quer terminar, ele já está recorrendo às lembranças boas do passado para poder chantageá-lo. Sim, ele vai fazer você lembrar do dia em que entalharam seus nomes dentro de um coraçãozinho, no tronco de uma árvore do seu parque predileto. Se ele for do tipo rancoroso, o túnel do tempo será para lembrar do quanto você foi insensível quando disse que ele era grudento e como aquilo magoou seu pobre coração.

## O leonino depois do pé na bunda

Você não termina com um leonino, ele é que termina com você – ou pelo menos é isso que ele dirá aos amigos. Durante o rompimento, é provável que ele mande uma mensagem dizendo, "eu pensava em terminar com você há meses, mas tive pena". Leoninos passam por uma fase de negação do sofrimento. Quando levam um pé na bunda, ficam meses dizendo para eles mesmos que a(o) ex não era bom(a) o suficiente. Eles precisam se autoafirmar! Depois que essa fase passa, arranjam um novo parceiro – mais bonito, rico e inteligente que você – e fazem uma visita para exibi-lo.

## O virginiano depois do pé na bunda

Quando você termina com um virginiano, não nota nenhuma reação imediata. Isso acontece porque ele está analisando o relacionamento cuidadosamente, como num jogo de sete erros. Quer saber onde tudo começou a dar errado e provavelmente vai se culpar por não ter sido perfeito o bastante. É provável que ele não se dê conta de que você terminou porque ele dobrava a roupa antes do sexo e criticava tudo o que você fazia. A hipocondria de Virgem fica mais intensa depois de um pé na bunda e ele vai encher a cara... de remédios, para curar a dor no coração (no joelho, nas costas, na cabeça...). A dor passa quando ele encontra mais uma nova vítima para analisar, afinal, a terapia de Virgem chama-se "crítica construtiva".

## O libriano depois do pé na bunda

Quando um libriano percebe que você vai terminar, faz tudo para que não seja um final cheio de brigas e ressentimentos. Ele aceita tudo o que você diz e ainda propõe amizade. Você fica achando que ele é santo ou extremamente passivo, mas a realidade é que o libriano não dá ponto sem nó. Ele não vai se indispor, porque gosta de ter muitas opções caso resolva ter um casinho. Libriano não vive sem par! Você terminou com ele, mas não será deletado da sua lista de contatos tão cedo – a não ser que tenha feito algo realmente grave. E digo mais, é provável que ele já tivesse suas "paquerinhas" enquanto vocês namoravam, para o caso de rolar o pé na bunda. Ou seja, ele não ficará sozinho.

## O escorpiano depois do pé na bunda

Rompa o relacionamento e mude de endereço bem rápido, porque os escorpianos amam intensamente, mas odeiam na mesma proporção. Ele não vai fazer alarde, porque é introspectivo, mas vai maquinar 150 mil planos de vingança para fazer com que você pague por tudo de ruim que o fez sentir quando foi chutado. Esse é o tipo de ex com quem você não fará um "momô" casual no futuro, por isso nem adianta sentir saudades. Escorpianos demoram a largar o osso, mas, quando largam, é definitivo. Quanto a um novo relacionamento, pode ser que demore um pouco, afinal, a última experiência foi de "quase morte".

## O sagitariano depois do pé na bunda

Você não terá motivos para terminar com um sagitariano, a não ser que ele seja REALMENTE insuportável ou que você seja muito conservador. É mais fácil propor um relacionamento aberto. Sagitário gosta de liberdade e pluralidade nos relacionamentos, portanto não vai se incomodar se você pular a cerca. Se tanta liberdade não funciona para você, saiba que os sagitarianos não guardam rancor, então é melhor você não guardar também. Se depois do rompimento, vocês se encontrarem na rua, o sagitariano gritará seu nome, sairá correndo para um abraço de urso e dirá "Poxa, você continua um arraso, hein?!" – e tudo isso com o(a) namorado(a) a tiracolo.

## O capricorniano depois do pé na bunda

Terminar com capricornianos é como fechar uma empresa. Eles não esboçam nenhuma reação, porque para eles isso seria pagar mico. Já que é para terminar, que seja com dignidade, sem dramas e chororô. Como o capricorniano se preocupa em construir algo sólido para o futuro, é provável que comece a olhar para os lados em busca do par mais promissor assim que você virar as costas. E não, isso não é frieza, é pura praticidade. Para que chorar o leite derramado, não é?! Futuramente, você pode se arrepender de ter terminado com o capricorniano. Ele pode ser rico, presidente de uma empresa ou do país, capa da revista Forbes, ou tudo isso ao mesmo tempo!

## O aquariano depois do pé na bunda

Quando você termina com um aquariano, ele contesta um pouquinho pra bancar o rebelde – diz que não quer terminar, questiona a sua decisão etc. A verdade é que ele é amante da liberdade e não sentirá tanto assim a sua falta, mas o que seria do aquariano sem um bom debate, não é?! Aqui há grandes chances de rolar uma amizade colorida – e até um "grupalzinho", considerando o gosto dele pelas modernidades. O conceito de PA (pinto amigo) certamente foi inventado por uma aquariana!

# O pisciano depois do pé na bunda

Terminar com um pisciano e terminar com a mocinha de um novelão mexicano é praticamente a mesma coisa. Ele é extremamente sensível e tende a aumentar os acontecimentos, ou seja, o que era para ser um "foi bom enquanto durou" vira um "o que será de mim sem você?". Depois do pé na bunda, o peixinho pode se afogar na cachaça e compor músicas de corno. É impressionante como o sofrimento deles é criativo! Como são mutáveis, a dor é profunda, mas eles amarão profundamente um outro alguém em breve.

Capítulo 16

# Como se Comporta cada Signo na Internet

O mundo virtual nos garante o prazer de sermos quem sempre sonhamos, por isso é comum ver um amiguinho nada zen publicando mensagens filosóficas de paz nas redes sociais. Quem queremos ser e o nosso signo solar estão diretamente relacionados, por isso você verá aqui o perfil de cada signo na internet. A seguir, veja como cada um deles se comporta nas redes sociais e reconheça seus amigos!

## O ariano na internet

Quando não está participando de barracos em grupos, fóruns e fanpages, o ariano está vendo o circo pegar fogo, como espectador, e rachando o bico. Sabe aquele seu amigo que é campeão em todos os joguinhos do Facebook (porque é importante estar em primeiro lugar, nem que seja no Candy Crush)? Ele é ariano!

Comentário de um ariano:

**Ariana Depressiva**

Vergonha de você que está comemorando a segunda colocação no campeonato. Que tipo de pessoa comemora a derrota? #losers #vimpravencer #sóaceitomedalhadeouro

👍 Curtir     💬 Comentar     ↪ Compartilhar

## O taurino na internet

Taurino na internet só posta foto de comida e faz check-in em restaurantes. Frases como "tô com sono" e "tô com preguiça" aparecem esporadicamente em suas "atividades", porque atualizar o *status* dá muito trabalho. Também é típico dele fazer "wishlist" (lista de desejos, para quem acha o inglês desprezível) com sugestões de presentinhos que eles PRECISAM MUITO ter. Sabe aquele amigo que tira foto das suas novas aquisições e posta sem parar? Pode apostar, ele é taurino!

Comentário de um taurino:

**Taurina Depressiva**

Parem de dizer que a gente só gosta de comer. A gente gosta de beber também: suco, refresco, água de coco, milk-shake, mingau, leite, se estiver acompanhado de um prato cheio, gostamos mais ainda. Ridículos.

Curtir   Comentar   Compartilhar

## O geminiano na internet

É o usuário *cult*. Está sempre compartilhando reportagens "importantíssimas" e é seguidor da Folha, do Estadão e de mais mil outros canais de comunicação. Ele faz parte de TODAS as redes sociais – Instagram, Facebook, SnapChat, Pinterest, Google+, Twitter, Flickr e o diabo a quatro – e sempre tem uma opinião (que muda a cada hora) para manifestar em cada uma delas.

Comentário de um geminiano:

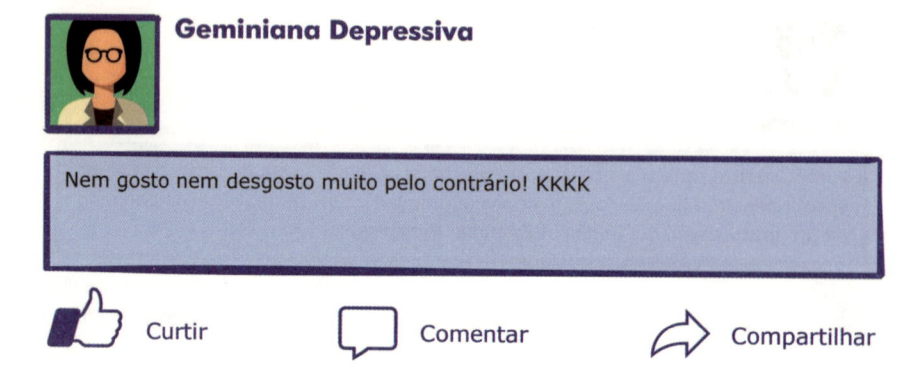

**Geminiana Depressiva**

Nem gosto nem desgosto muito pelo contrário! KKKK

Curtir   Comentar   Compartilhar

## O canceriano na internet

Quando o Facebook pergunta "como você está se sentindo?", ele responde. E se você está navegando no *feed* de notícias e se depara com um desabafo magoado e ressentido, há 99,9% de chances de ser um canceriano. Ele é o rei da indireta e precisa dizer o quanto está magoado, mesmo que você não queira ouvir. Aquelas mensagens com GIF de ursinhos e mensagens fofinhas também são a cara dele. Tão Orkut, tão vintage…

Comentário de um canceriano:

**Canceriana Depressiva**

Estou me sentindo só. É triste perceber que as pessoas que amamos são capazes de nos virar as costas no momento em que mais precisamos.
#solidão #abandono #dor

Curtir    Comentar    Compartilhar

## O leonino na internet

O rei do autorretrato. No álbum do Facebook dele, você encontra todas as expressões faciais possíveis. São centenas de fotos no espelho, e sem abrir mão do flash, afinal... leoninos têm muita luz, e quanto mais, melhor né?! Leonino é o cara que posta *selfie* quando está tomando café com leite, quando vai tomar banho, quando chega da faculdade e quando vai dormir. Ele REALMENTE acha que os "fãs" querem saber sobre cada passo que ele dá, (porque leonino tem fãs, gente, e não simplesmente amigos e seguidores).

Comentário de um leonino:

**Leonina Depressiva**

Hoje não pude publicar, porque o dia foi cheio, mas tenho uma novidade: criaram um perfil fake meu. Estou muito lisonjeada... Obrigada, fã! Se precisar de material para minha biografia, estou à disposição. ♥

👍 Curtir     💬 Comentar     ↪ Compartilhar

## O virginiano na internet

Critica quem se expõe e posta "regras" de comportamento na internet. Para descobrir quem são os virginianos do seu perfil, experimente escrever "EXCESSÃO". O primeiro a corrigir é o virginianozinho! Como todo filho de Mercúrio, o virginiano gosta de colocar a fofoca em dia, mas como é discreto, as conversas mais quentes são sempre feitas por mensagem privada.

Comentário de um virginiano:

**Virginiana Depressiva**

Não coloco defeito em ninguém, Deus é quem coloca. Eu só comento...

👍 Curtir   💬 Comentar   ↪ Compartilhar

## O libriano na internet

Faz foto de look do dia para postar nas redes sociais e acompanha todas as blogueiras e blogueiros *fashion* do momento. Acumulam seguidores e, em todas as suas postagens tem alguém marcado, afinal, libriano não vai nem ao banheiro sozinho. A única atitude inconveniente do libriano é mandar convite para eventos, afinal, eles precisam mostrar que estão circulando pelos grupinhos pop do momento. De resto, é tudo insuportavelmente perfeito (e *fake*, lógico). É libriano aquele que diz "Ai, você tá lindo, amigo" na foto do amigo que está visivelmente horrível.

Comentário de um libriano:

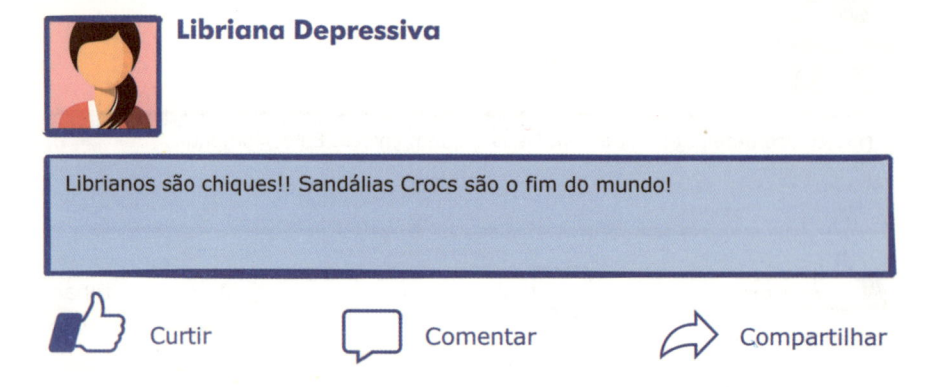

**Libriana Depressiva**

Librianos são chiques!! Sandálias Crocs são o fim do mundo!

👍 Curtir     💬 Comentar     ➡ Compartilhar

## O escorpiano na internet

Você quase não o vê no *feed* de notícias, porque o escorpiano é aquele que faz perfil *fake* pra stalkear a galera sem ser notado. Ele se preocupa muito com a privacidade, e o perfil do Facebook é todo trancado. Se ele tiver foto do rostinho no avatar, comemore! Mas, normalmente, usa uma imagem bem *dark* no lugar da foto. Se vocês forem pra balada e você conseguir fazer uma foto com o escorpiãozinho, tenha o bom senso de não marcá-lo. Se fizer isso, pode ser que ganhe um "block".

Comentário de um escorpiano:

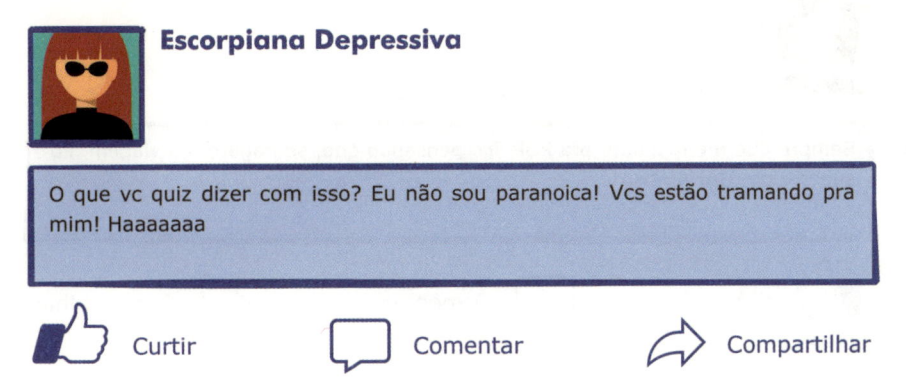

**Escorpiana Depressiva**

O que vc quiz dizer com isso? Eu não sou paranoica! Vcs estão tramando pra mim! Haaaaaaa

👍 Curtir    💬 Comentar    ➡ Compartilhar

## O sagitariano na internet

Sagitariano na internet é o próprio *troll*. É aquele cara que te marca naquela foto em que você saiu meio vesguinho, sabe? Ou, então, aquele que faz piadinhas inconvenientes sobre a sua tia ("Ela ainda dá um caldo, hein?!") numa foto de família. Numa versão mais madura, o internauta sagitariano é o amigo filosófico que posta frases de impacto questionando o sentido da vida.

Comentário de um sagitariano:

**Sagitariana Depressiva**

Sempre que me mandam pra PQP fico pensando que, se pagarem a viagem, eu super topo! HAHAHAHA!

Curtir        Comentar        Compartilhar

## O capricorniano na internet

O ranzinza! Reclama do frio e, quando esquenta, reclama do calor. As atualizações de *status* dele são sempre lamurientas e ranzinzas: gosta de dizer que está cansando, que teve um dia estressante no trabalho ou que está no trânsito, só pra bancar o ocupado. Para ele, tudo o que está fora do mundo corporativo é desprezível. Nem pense em marcá-lo em piadinhas, viu?! Tempo é dinheiro e piadas não pagam contas!

Comentário de um capricorniano:

**Capricorniana Depressiva**

Não entendo por que as pessoas me olham torto quando eu digo "garçom, a minha comanda é separada"!

Curtir   Comentar   Compartilhar

## O aquariano na internet

Sabe aquela pessoa que apareceu na sua *timeline* 150 mil vezes durante as manifestações contra o aumento da passagem de *bus* e que tirou foto com plaquinha e cara pintada pra colocar no Instagram? É um aquariano! Aquariano é o tipo que, se você vasculhar o álbum da criatura, há grandes chances de encontrar uma foto dele com a camisetinha do "Che". Minha recomendação: caso não goste do "Che", não se manifeste. O aquariano pode passar horas tentando te convencer de que a ideologia dele é a melhor.

Comentário de um aquariano:

**Aquariana Depressiva**

Foda-se a sociedade. Fodam-se as regras! Foda-se tudo! Eu sou o macaco do Aladin! HSAUAHSUHSUAHUHSS

Curtir  Comentar  Compartilhar

## O pisciano na internet

Aquelas mensagens "fofas" que você recebe com os dizeres "bom dia, que Deus te abençoe" são a cara do pisciano. Quando não falam de Deus, falam de tarô, runas, duendes e portais mágicos. Como é tediosa a vida real! Para identificá-los, é só notar que eles sempre são os últimos a saber das coisas. Sabe aquela amiga em comum de vocês que foi passar cinco anos no Canadá e acabou de voltar? O pisciano é o cara que postou: "Ela foi pro Canadá!?"

Comentário de um pisciano:

**Pisciana Depressiva**

Sou Pisciana, mas não sou tão esquecida assim, nem distraí...GENTE, QUE BORBOLETA LINDA!

👍 Curtir        💬 Comentar        ↪ Compartilhar

# Capítulo 17

# Como Lidar com o Colega de Trabalho de cada Signo

Como passamos grande parte do nosso tempo em companhia dos colegas de trabalho, é essencial prever seus movimentos para evitar conflitos e demissões por justa causa. A seguir, você verá como se comporta o profissional de cada signo, para que, munido dessa informação, você saiba como lidar com todo o tipo de "colega" – desde o pisciano esquecido até o capricorniano com sede por poder.

## O colega de trabalho ariano

Tem perfil proativo e adora prazos apertados – nada deixa um ariano mais feliz que entregar o trabalho antes do coleguinha. Arianos não ficam muito tempo em empregos que não representem um desafio. Produzem muito e intensamente, mas por conta da pressa – que os virginianos dizem ser a inimiga da perfeição – podem cometer alguns deslizes. Brigam por cargos de liderança e também pela caixinha de clipes que o colega da mesa do lado ganhou e ele não.

## O colega de trabalho taurino

É taurino aquele tiozinho gorducho que está na mesma empresa há mais de vinte anos e esconde guloseimas na gaveta. Ele despreza o jovenzinho revolucionário que chegou na "firma" agora e quer atualizar todos os sistemas e regras. O lema do taurino no trabalho é "devagar e sempre", por isso não o apresse e nem cobre prazos. Ele pode ser visto pelos outros como alguém que não tem iniciativa e não se adapta às mudanças, mas a verdade é que, quando ocorre algum problema, só ele tem paciência e persistência para resolver e concluir o projeto que o jovenzinho revolucionário começou, mas não concluiu.

## O colega de trabalho geminiano

É comunicativo, bem informado e extremamente adaptável. Lida com as questões do trabalho com jogo de cintura e inteligência. O geminiano se destaca porque está sempre ligado ao que acontece ao seu redor: economia, política, atualidades e principalmente questões sociais – é ele que sabe que a Fernandinha saiu com o Cláudio da contabilidade, por exemplo. Gosta de movimento, da ausência de rotina e pode preferir trabalhar em cargos com horários flexíveis. Aquele coleguinha que levou puxão de orelha por ficar pendurado no telefone durante o expediente pode ser geminiano!

## O colega de trabalho canceriano

Canceriana é a tia da cozinha que faz do trabalho a extensão do seu lar, cuidando de todos os colegas como filhos e fazendo aquele chazinho de boldo para quem está mal do fígado. O canceriano veste a camisa da empresa e a defende com unhas e dentes, mas fica ressentido se leva bronca do chefe. A desvantagem de ter um canceriano como funcionário é que ele pode se ausentar do trabalho se o filho vomitar, a vovó precisar ir ao médico e o parceiro quebrar o dedinho jogando vôlei ou sua cadelinha estiver na TPM (e portanto, sofrendo muito).

## O colega de trabalho leonino

É comum ver leoninos em posições de liderança. Autoritários, eles sempre arranjam um súdito/fã para acatar suas ordens, mesmo que não sejam chefes. É leonino o cara que faz aquelas palestras motivacionais master, longas, só para mostrar aos outros como ele, ser magnânimo, alcançou o sucesso, afinal, ele se orgulha muito disso. Embora seja autoritário, o leonino pode ser um bom chefe: ele sabe como deixar seus subordinados motivados e é generoso com quem realmente se esforça para servi-lo.

## O colega de trabalho virginiano

O virginiano é o garotinho tímido do arquivo que quase ninguém nota, mas está lá, mantendo tudo em ordem para que os outros brilhem. O virginiano nunca faz uma coisa só – se trabalha no arquivo, nada o impede de resolver aquele errinho chato no sistema, de fazer cálculos avançados e, de quebra, corrigir a redação dos e-mails que você manda para os fornecedores. Virginianos são excelentes profissionais, porque, além de muito inteligentes, são focados. Entretanto, como são críticos em demasia, podem não ser muito queridos entre os colegas que, embora adorem receber a ajuda dele, odeiam o sermão sobre como o sistema deve operar.

## O colega de trabalho libriano

É o responsável pela organização de todas as confraternizações da empresa, porque considera a interação social um fator de extrema importância para um ambiente de trabalho saudável. É o libriano quem apresenta o funcionário novo a todos os outros e é também ele quem coloca panos quentes nos desentendimentos, tão comuns nesse ambiente. Librianos têm traquejo social, são gentis e por isso, excelentes candidatos às vagas de Relações Públicas e SAC. Como ninguém é perfeito, pode ser que aquela mocinha da recepção que flerta e sorri para todos os rapazes da empresa (quer dizer, todos não... só os gatinhos) seja libriana.

## O colega de trabalho escorpiano

Embora seja naturalmente fechado, o escorpiano é perfeito para os cargos de negociação, porque possuem sensibilidade para identificar o próximo passo da outra parte. Geralmente é ele quem detecta as falcatruas dentro do ambiente de trabalho e, quando entra alguém novo na "firma", é também ele quem diz em dois segundos se a pessoa presta ou não – e na maioria das vezes está certo. Escorpianos fazem inimigos quando entram numa briga por poder, portanto, não tente puxar o tapete dele.

## O colega de trabalho sagitariano

Sabichão, ele sempre tem uma resposta para todas as perguntas dos colegas, mesmo que elas não façam parte da sua área de conhecimento. O sagitariano gosta de trabalhar com liberdade, sem muitas regras e restrições. Ele também pode achar muito difícil ficar trancado num escritório, lidar com a rotina e adotar uma postura mais séria. Sabe aquele cara que manda aquela piadinha sem noção "pra quebrar o gelo" no meio da reunião? Certamente é um sagitariano!

## O colega de trabalho capricorniano

O capricorniano se julga melhor do que seu superior, e muitas vezes realmente é! Ambicioso, ele vai trabalhar com um objetivo bem definido: alcançar o melhor cargo da empresa. Quando um capricorniano consegue um emprego cuja possibilidade de crescimento é nula, ele cai fora no primeiro mês. Embora goste de dinheiro, progredir na carreira é sempre mais importante. Ele é ranzinza, antissocial e focado demais para ficar de papinho no corredor, portanto, se você vir um capricorniano sorridente, batendo papo com um coleguinha, fique atento: algum interesse profissional ele tem.

## O colega de trabalho aquariano

Ele é membro do sindicato e faz discurso socialista para conseguir melhorias para todos os 150 mil amigos que fez no ambiente de trabalho. Sabe o jovenzinho revolucionário mencionado no signo de Touro? É o aquariano. Ele não é necessariamente o cara das mudanças, mas sempre tem uma ideia que julga genial e TEM QUE ser executada para que os negócios alavanquem. Cheio de opinião, ele não abre mão de dizer o que pensa em todas as reuniões e não se acanha – nem muda de opinião – se tiver que bater boca com o chefe.

## O colega de trabalho pisciano

Imaginativo, o pisciano é perfeito para a área de criação. É sensível, sacrifica-se em prol da filosofia da empresa e não se vende por um cargo superior. O problema do pisciano no trabalho é que, se você não presenteá-lo com uma agenda e um organizador, ele vai esquecer de prazos e documentos importantes, porque não é muito bom com os aspectos práticos da vida – para desespero do virginiano, o menino do arquivo. Quando você encontrá-lo parado, olhando para o nada, não brigue com ele. O pisciano não está dormindo, só está tentando trabalhar por telepatia.

# Capítulo 18

# Os Signos num Velório
## Como cada signo demonstra sua dor

A vida é cheia de incertezas e, quando decidiu ser certeira, foi depressiva: a única coisa que todos sabemos é que a morte é inevitável. Confira a seguir o perfil de cada signo diante da morte e, no próximo velório, saiba identificar o signo de cada amigo de acordo com o seu tipo de morbidez.

## O ariano no velório

Ele acha velório uma perda de tempo, afinal, a vida é que deve ser celebrada. "Pra que velar o corpo de uma pessoa que não está mais aqui?", diz ele. Se o velório é de alguém da família e ele é o responsável pela organização (isso é muito comum, porque eles são rápidos e não são da turma do mimimi), ele cumpre o protocolo, mas encurta o velório ao máximo – e dane-se a família que vem do Amazonas.

## O taurino no velório

Se você for a um velório e encontrar café e biscoitos, pode ter certeza de que tem um taurino organizando tudo por ali. Isso acontece porque o taurino usa as coisas materiais para proporcionar conforto emocional a si mesmo e aos outros. Outra característica do taurino autêntico: se ele estiver muito triste, chorando e comendo biscoitos, pode ser por causa da extrema preocupação com os aspectos materiais do velório, como, por exemplo, "O falecido tinha auxílio funeral?", "Quanto será que custou esse caixão luxuoso?", "Essa coroa de flores deve ter custado uma fortuna!" Para entreter um taurino num velório e evitar que ele dê vexame, coloque-o em contato com um escorpiano e mencione a palavra herança. Eles terão muito a discutir...

## O geminiano no velório

Contador de histórias, o geminiano homenageará o falecido e passará em todos os grupinhos para compartilhar antigas histórias que conhece do morto. E, caso não haja nada para contar, ele inventará algumas mentirinhas inofensivas para tornar o acontecimento mais interessante. Rei do blá-blá-blá, ele não se dará por satisfeito quando todas as histórias sobre o morto acabarem e, entediado, quebrará o silêncio para contar sobre suas aventuras conjugais, um acontecimento hilário que ocorreu num evento do trabalho e qualquer outro assunto irrelevante que o ajude a quebrar o tédio e faça o tempo passar mais rápido. Para ele, chorar está fora de cogitação.

## O canceriano no velório

Não interessa quem morreu, o canceriano vai chorar mesmo que tenha ido a um velório da avó de um amigo distante, apenas por consideração. E, não, ele não está fingindo. Ele realmente sente muito. Se o velório é de alguém conhecido, pode ser que, entre um chororô e outro, ele conte uma história do passado: "Fulano costumava falar que...", "Lembra quando, em 1994, ele nos levou para...", e assim por diante. Se o velório for da mãe dele, esqueça. Ele ficará grudado no caixão o tempo todo, pensando em como gostaria de ter dito "eu te amo" mais uma vez.

## O leonino no velório

O leonino quer ser o centro das atenções até em velórios, por isso, se estiver procurando por um exemplar dessa espécie, basta buscar a figura que está aos prantos, gritando desesperadamente sobre o caixão: "Me leva com você!". Para chamar mais atenção que o morto, ele chora lágrimas de crocodilo, grita, esperneia e, se sua missão foi concluída com sucesso, terminará o espetáculo conquistando a atenção de todos que, envergonhados, tentarão conter o drama. Outra versão comum – e um pouco mais discreta, afinal, há leoninos cheios de planetinhas em Virgem por aí – é a do leonino preocupado com a pompa e circunstância da cerimônia. "Há coroas de flores em número suficiente?", "O falecido está recebendo as honras que merece?", "Será que é preciso contratar capideiras?". Para ele, o importante é que a ocasião seja inesquecível, afinal, nenhum familiar de leonino pode ser sepultado sem cerimônias dignas de um rei.

## O virginiano no velório

Curioso, ele procura saber os pormenores da doença que matou o "homenageado da noite" e arrisca diagnósticos, mesmo que o morto já esteja começando a entrar em decomposição. Morreu do coração? "É que ele não mantinha uma alimentação saudável. Lembra quando fomos ao churrasco da Titi e ele comeu a capa de gordura da picanha?". Logo a seguir, ele começa a sentir os mesmo sintomas sobre os quais comenta e, para garantir, marca uma consulta com um clínico para o primeiro horário no dia seguinte. Por se preocupar muito com a higiene, ele procura manter distância do corpo. Se for muito íntimo e não puder evitar a proximidade, ele fica ao lado do caixão, mas prefere evitar o toque. Ao chegar em casa, tira o sapato na porta, arranca a roupa e joga tudo na máquina de lavar, com bastante sabão e desinfetante.

## O libriano no velório

Sóbrio, discreto, fino e vestindo o melhor look pretinho básico, ele chora pouco e educadamente, enxugando as lágrimas com um lencinho bordado com suas iniciais. Seu papel no velório é consolar a todos de maneira serena e equilibrada. Talvez ele nem se importe de fato com o falecido, mas o fato é que a boa educação pede que ele faça uma social. Se a pessoa no caixão não for próxima a ele, o libriano cumprirá seu papel e sairá à francesa. Na missa de sétimo dia, ninguém nem se lembrará que ele esteve no velório.

## O escorpiano no velório

Em cemitérios e velórios o escorpiano está em seu habitat natural, portanto, seu comportamento é impecável. Ele veste preto, chora sentido, mas apenas o necessário, e desperta nas pessoas os pensamentos mais mórbidos. Emotivo, mas preocupado com assuntos mais terrenos, ele se questiona mentalmente: "Será que o falecido deixou uma herança?".

## O sagitariano no velório

É ele o sujeito que conta piada no velório e, acredite, não é por mal. O negócio é que o sagitariano não sabe lidar com a tristeza e, como fuga, utiliza o humor – ele acha que alegrar as pessoas é uma forma de ser útil. Se não está contando piada porque faz mais o tipo filósofo, ele provavelmente está levantando indagações complexas para motivar os colegas a pensarem: "Se você soubesse que iria morrer em 24 horas, o que faria?" Então, antes que alguém responda, ele inicia seu monólogo, parafraseando algum filósofo que ninguém conhece para justificar suas teorias. Quanto ao morto? Talvez ele chore por ele depois, mas bem rapidinho.

## O capricorniano no velório

Capricorniano não chora. Talvez até sofra, mas chorar é para os fracos, por isso o capricorniano vai a velórios por puro senso de responsabilidade e respeito ao falecido. Nos bastidores, ele reclama do sagitariano piadista, reclama do leonino dramático que só quer atenção e, provavelmente se juntará ao virginiano para falar sobre os aspectos práticos da vida – porque o virginiano é hipocondríaco mas, pelo menos, não dá show. A presença do capricorniano certamente será lembrada até na missa de sétimo dia, afinal, ele ficará no velório até o fim, com aquela cara de "Só estou aqui porque a morte é uma coisa que temos que encarar de frente".

## O aquariano no velório

O envolvimento emocional do aquariano com os rituais fúnebres muda de acordo com o nível de engajamento social e político do falecido. Se engajado, o falecido será presenteado com a coroa de flores mais cara da floricultura e com discursos sem fim sobre sua importância para a comunidade. (É possível que o aquariano também lance um abaixo-assinado para garantir que o falecido seja homenageado com uma rua ou praça da cidade batizada em seu nome.) Em contrapartida, se pouco engajado, o falecido sofrerá com o julgamento silencioso e apático do aquariano, que não derramará nenhuma lágrima em sua homenagem e, durante o enterro, poderá ler Kafka enquanto as outras pessoas choram.

## O pisciano no velório

Ele chora. Chora. Chora. Chora. Chora mais que o canceriano. Sabe aquela história de contratar carpideiras, mencionada pelos leoninos? Não será necessário se o velório tiver muitos piscianos. Talvez o pisciano nem ame tanto o falecido. O problema é que ele é suscetível à energia do ambiente; então, se o canceriano chora, ele chora também. Se o sagitariano ri, ele ri também, se o capricorniano faz cara feia, ele faz também. Assim, ao final do velório, ele estará emocionalmente exausto e decidido a não ir a um velório nos dois anos seguintes.

# Capítulo 19

# Seu *Crush* Segundo a Astrologia
## Dicas básicas para transformar o paquera em namorado

Quase todo mundo já foi arrebatado por uma atração platônica irresistível e traçou estratégias atrapalhadas para conquistar o objeto de desejo. Se você faz parte desse grupo e não teve sucesso em sua empreitada, saiba que, através da Astrologia, é possível obter informações importantes sobre o *crush* que farão toda diferença na hora da conquista.

A seguir, você vai descobrir as características mais peculiares do seu possível par romântico e transformar um amor platônico num amorzinho "par de vaso".

### O *crush* de Áries

Como o ariano é impulsivo, é bem provável que conheça você, se apaixone loucamente e te peça em namoro num período de apenas duas horas. Ariano é assim, direto, objetivo e intenso. Para namorar um ariano, você precisa entender que ele gosta de desafios e conquistas constantes e, se você se jogar aos pés dele, o fogo acaba na hora. O lance "bate que eu gosto" é a cara dele – não porque seja submisso, mas porque tem tesão no conflito. Se você quer uma paixão de tirar o fôlego, procure um ariano. Se quer uma "rapidinha" daquelas, procure-o também! Todo mundo sabe que ariano é apressadinho...

### A *crush* de Áries

Adora aquele frio na barriga e quer viver fortes emoções? A *crush* ariana é a melhor escolha para você! Competitiva, ela vai querer ganhar de você até no par ou ímpar. Meu conselho é que você sempre a deixe vencer, senão saia da frente! Sincera e muito impulsiva (até demais), ela não tem medo de te magoar e diz tudo o que pensa (e mais um pouco) na sua cara, mas cuidado com o que diz a ela, porque, se ela não gostar, pode enfiar a mão na sua cara. Quando está na TPM (coisa que parece constante, né? Mas acredite, é pior), você pode ficar com medo dela (pode assumir, a gente te entende!) Se você for sensível, como um canceriano ou pisciano, vou torcer por você, mas bem de longe, afinal, tenho amor à minha vida...

## O *crush* de Touro

Namorado "cama, mesa e banho", o taurino é hedonista: gosta de massagem, lençol macio e comida boa. Se você namora um taurino, é provável que já tenha ganhado uns quilinhos desde que o conheceu, afinal, ele é defensor da filosofia da preguiça. Para que ir à padaria andando se você pode ir de carro, com ar condicionado ligado e uma boa musiquinha no rádio, não é mesmo? Ele te leva aos melhores restaurantes, aprecia as coisas belas e, como é mestre na arte de explorar as sensações do corpo, o sexo pode ser bem interessante – mesmo que depois ele vire para lado e durma. Se até agora tudo pareceu perfeito, não se esqueça de um detalhe: taurino é mulinha empacada e nunca vai tomar iniciativas sem que você tenha que empurrar a bundinha dele para o preguiçoso pegar "no tranco".

## A *crush* de Touro

A namorada taurina está sempre impecável e bela como uma boa filha de Vênus. Mas... é possessiva e teimosa, e, por mais que você empurre, ela parece não sair do lugar – a famosa mula empacada. Também tem dificuldade (leia preguiça) para sair de casa e, como é possessiva, pode te tratar como propriedade dela. Se fosse possível, ela colocaria uma coleirinha com o nome dela no seu pescoço; mas será uma coleira de muito bom gosto, é claro. A taurina também é materialista, ou seja, nada daquelas ideias de capricórnio pão-duro de dar 'um beijo e um abraço' no aniversário dela. A taurina pode ser paciente, mas não é um monge, tá? Para fazê-la sair de casa, sempre proponha um jantar num bom restaurante ou compre um guindaste (em alguns casos é a única solução).

## O *crush* de Gêmeos

Para ele, demonstrar amor pode ser o mesmo que "trocar uma ideia". Quando um geminiano fala sobre aquela série que adora, sobre política, sobre a vizinha que pegou o marido com uma amante e sobre a teoria da relatividade, na verdade está dizendo: amorzinho, eu te amo e por isso compartilho com você meus pensamentos. Aliás, a questão de compartilhar ideias é tão importante para o geminiano, que na hora do sexo, muitas vezes ele pode encarnar o Galvão Bueno e narrar cada ato detalhadamente, sem que isso afete seu desempenho, afinal, ele é muito versátil.

## A *crush* de Gêmeos

Tagarela, e sempre mil ideias, a namorada geminiana tem a mente a mil por hora e parece uma borboleta: não para quieta e adora parar aqui e ali para bater um papinho. O problema é que a bichinha é meio bipolar, muda de ideia toda hora e você nunca sabe o que ela pensa de verdade. Como gosta de falar, vai encher o seu saco para discutir a relação. Se você for dorminhoco (especialmente o taurino), tenho pena, porque é muita conversa pra boi dormir, viu? Mas não se preocupe, como ela é muito curiosa, se distrai fácil. Quando sua geminiana vier com muito blá-blá-blá, "saque" a primeira coisa interessante que tiver por perto, ela mudará de foco e te deixará em paz por alguns minutos.

## O *crush* de Câncer

O *crush* canceriano é o sonho de muita gente. Ele é doce, sensível, extremamente companheiro e valoriza a instituição da família. Quando um canceriano elege uma namorada, a protege de tudo e cuida com toda a dedicação. Ele leva você ao cinema, à faculdade, ao trabalho, à academia e, mesmo que você não queira, te acompanha na depilação. O negócio dele é ficar juntinho – espero que você goste de chiclete – e se você disser que precisa de um tempo para respirar, prepare-se para o beicinho e para a chantagem emocional. "Mas a minha mãe fazia isso pra mim..." é a frase que ele mais diz. E sabe aquela briga mais séria que vocês tiveram em 2001? Se brigarem novamente, ele ainda se lembrará dela e não hesitará em fazer você se lembrar também.

## A *crush* de Câncer

Carente, manhosa e carinhosa, a canceriana parece ser a namorada que você pediu a Deus… até que um dia você a magoa e pronto! Isso fica tatuado no cérebro da criatura e, a cada discussão, ela fará questão de jogar na sua cara o que você fez naquela noite fria de julho de "#milnovecentoselávaipedrada". Além de tudo, o humor dela oscila de um jeito que faz você achar que ela está em constante TPM e ela tem o dom de fazer você se sentir culpado em qualquer discussão. Para remediar a situação, nada como levá-la para assistir a uma comédia romântica, mas não ouse dormir durante o filme. Se não… já sabe, né? "Lembra aquele dia que você dormiu no meio daquele filme…"

## O *crush* de Leão

Namorar um leonino é divertido, porque ele se sente o Brad Pitt e faz com que você se sinta a Angelina Jolie. Ele anda por aí com o peito estufado, esperando que os fãs abram caminho pra ele passar. É inegável que ele sabe chamar a atenção, sabe vender sua imagem e sabe ser querido. Para conquistá-lo, além de dizer várias vezes por dia que ele é o maioral e que brilha como o Sol, você tem que saber o seu valor e ser uma pessoa segura de si, assim como ele é. Se souber lidar com o ego do leãozinho, terá um namorado generoso, leal e, no mínimo, figurante da Globo – se o mestre Júpiter ajudar.

## A *crush* de Leão

A leonina é generosa e nobre, tem um bom coração, mas tem síndrome de rainha. Adora ser mimada, paparicada, bajulada e sabe pisar em você como poucas! Nunca, jamais, em tempo algum a ofenda ou a contrarie, porque ela vira uma leoa literalmente ou uma gatinha dramática, sim, porque a bichinha adora ter crises de diva do cinema clássico, viu? Faz um dramalhão que ninguém consegue conter e, no final, você acaba recebendo todas as ordens dela, tudo para tentar amansar a fera. Em caso de emergência, despeje elogios ou a encha de presentes caros. Não é garantido, mas pode ajudar a preservar seu corpo inteiro. Dica: corte sempre as unhas dela, pois Leoas sem garras são um pouco menos ferozes (ou não…).

## O *crush* de Virgem

Ele é inteligente, focado, servil, discreto e "multiuso". Se você ficar doente, por exemplo, ele te dará sopinha e remédio (esqueça a parte em que ele isola o quarto e te coloca em uma bolha, isso é mero detalhe). Se o corretor automático do seu Word não estiver atualizado de acordo com as novas regras ortográficas e você tiver um trabalho para entregar amanhã, não há razão para pânico, o Super Virgo sairá em sua ajuda! É assim que o virginiano demonstra amor, através de gestos concretos. Parece lindo e útil até aqui, mas ele não faz isso para alguém que seja menos que perfeito, portanto, corra e compre agora o seu primeiro Dostoiévski, matricule-se na academia e não esqueça de caprichar no banho e no perfume, viu?!

## A *crush* de Virgem

A virginiana é inteligente e prática, a namorada ideal para quem não gosta de muito "nhenhenhem", entretanto ela é cricri e ansiosa. Ela sempre vai te criticar de alguma forma com a desculpa de que é para o seu bem e quer ver você cada vez melhor. Conversa fiada! Ela adora é colocar tudo em ordem mesmo, inclusive você. Vai se atrever a criticar a "Sra. Perfeitinha"? Pois se prepare, porque provavelmente ela vai surtar e terá uma crise neurótica, analisando por todos os ângulos sua crítica, até determinar se você está certo ou não (99% das vezes não está). Em caso de desespero, dê a ela um quebra-cabeça de 2 mil peças, assim terá muitas peças para pôr no lugar e uma ótima terapia para acalmar a mente inquieta da virginiana ou curar suas crises de ansiedade.

## O *crush* de Libra

Namorar um libriano é legal porque você não precisa dizer a ele para não sair de sandálias Crocs, por exemplo. Ele tem senso estético e, mesmo que não seja "aquele gato", estará sempre arrumadinho. Ele é gentil, mestre na arte de compartilhar e certamente te levará a festas elegantes e refinadas. Se você é o tipo de pessoa que gosta de assumir as rédeas da relação, o libriano é o namorado ideal, porque, quando você pedir a ele que escolha algo, ele dirá: "Escolhe você, amor". Quanto ao fato de ter senso estético, pode ser bom, mas também significa que ele não aceitará que você saia com aquela calça que faz você parecer um bebê de fraldas, sacou? Vai ter que andar nos trinques, meu bem...

## A *crush* de Libra

A namorada de Libra é cheia de lábia, charmosa e companheira. Às vezes, companheira até demais, viu? Quer fazer tudo com você a tiracolo, até coisas que pouco te interessam como fazer a unha, depilação, compras etc etc. Adora ganhar um presentinho bonito e... caro, além de fazer você decidir tudo por ela, claro. No começo você acha bonitinho, até um charme, e se sente dono da situação. Depois você acha um saco ter que decidir tudo, se sente até meio manipulado e quer estapeá-la quando diz: "Você decide" ou "O que você achar melhor, amor?"... Dica: antes de falir, dê a ela um cãozinho e um oráculo que responda sim ou não, assim ela terá outra companhia e decisões garantidas! Sim, ou não... talvez?

## O *crush* de Escorpião

O namorado de Escorpião é tudo de bom! Ele ama e deseja de maneira muito intensa e você jamais poderá se queixar de superficialidade ou falta de sexo. O problema é que, quando você diz que vai ao cinema com a Cláudia, ele entende que você vai encontrar o Ricardão. Quando você vai dar uma passadinha na farmácia, ele acha que você vai dar uma rapidinha com o Ricardão! Dentista? RICARDÃO! A experiência de amar é tão profunda e descontrolada que ele teme ser enganado e fica o tempo todo em estado de alerta. Se você gosta de livros, ele é o cara certo para você: as habilidades dele te proporcionarão experiências à altura de 50 Tons de Cinza (ui!) e das investigações de Sherlock Holmes (sim, pode ser que ele contrate um detetive para te investigar).

## A *crush* de Escorpião

Quem nunca quis namorar uma escorpiana? Fama de intensas e sensuais, o mistério delas sempre despertou interesse nos mais ousados... Isso é lindo na teoria, mas experimenta levar uma dessas pra casa... Ciumenta, vingativa e perspicaz, a namorada escorpiana pode virar o seu maior pesadelo num piscar de olhos, portanto, sempre ande na linha, caso contrário você pode acordar amarrado... à linha de um trem! E lembre-se: ela sempre sabe de tudo, mesmo que você ache que não. HAHAHA!!!...Estou torcendo por você (Tradução: rezando pela sua pobre alma).

## O *crush* de Sagitário

O *crush* de Sagitário é muito divertido e leva a vida em "ritmo...ritmo de festa..." (ler com a voz do Silvio Santos). Ele vai te fazer rir, é expansivo e está sempre disposto a viver aventuras. Se você quiser ir pro Nepal, ele vai. Paquistão também! Ele só não vai para subir no altar. Assumir compromisso não é a praia dele, afinal, cidadãos do mundo gostam de ser livres pra explorar a vida e o que ela tem a oferecer. Para conquistar um sagitariano, tenha boa vontade e ria de todas as piadas dele, mas somente das piadas, ok? Se você começar a rir quando ele iniciar o seu café filosófico, o bicho pega!

## A *crush* de Sagitário

A namorada sagitariana é divertida, muito divertida... ai ai, superdivertida, divertida até demais! Ela adora exagerar em tudo, em tudooooooo. Além disso, é uma sabichona chatinha que sempre faz questão de mostrar que entende mais sobre qualquer assunto do que você e, como é sem-noção, faz isso na frente de todo mundo. Dica: dê uma passagem de presente para ela, pois como ela gosta de viajar e curte um namorico a distância, você terá uns dias de folga. Quando ela voltar, prepare-se! Estará com muuuuuita saudade. Só não vale mandar a coitada para o Paquistão.

## O *crush* de Capricórnio

Capricorniano já nasce com complexo de presidente da república; ele quer poder de comando e *status*. Se é ambicioso, focado, trabalhador e dedicado, você terá que ser também, porque, como futuro presidente da república, ele não aceitará menos que uma primeira-dama. Namorar um capricorniano é garantia de estabilidade e compromisso sério. Pode ser que ele acorde azedo pela manhã, que no lanche da tarde reclame por meia hora do mau tempo e que à noite, quando forem para a cama, ele esteja com a cara do *grumpy cat*, mas... ele será "grande", não se esqueça.

## A *crush* de Capricórnio

A capricorniana é uma moça trabalhadora e poderosa, que dá orgulho de apresentar aos pais e aos amigos. O problema é que, além de ser ranzinza e rabugenta, ela tem aquela neurose chata de querer estar no topo e ser superior a você em tudo. Se o emprego dela for melhor que o seu, tenho pena de você, porque ela sempre vai dar um jeito de mostrar isso para a sociedade e sambar na sua cara de salto alto. Tire proveito: proponha que ela administre seus bens, assim você a presenteia com mais trabalho e ainda economiza uma grana.

## O *crush* de Aquário

A primeira coisa que você deve saber sobre o aquariano é que, ao namorar com ele, você leva de brinde todos os 200 mil amigos esquisitinhos dele. Você não pode ir de roupa íntima à cozinha para tomar um copo d'água sem encontrar um manifestante rebelde e mascarado dormindo no sofá, por exemplo. Aliás, você pode ficar muito sensual de roupa íntima, ele vai achar legal, mas, para conquistá-lo de verdade, você tem que ter uma mente pensante, opinião e autenticidade. Tem que ter muita paciência também, porque quando o namoradinho aquariano decide assumir o "do contra" que mora em sua alma, ele não desiste jamais. Se você disser que prefere a camisa preta, ele usa a laranja. Se disser que quer comida "thai", ele te leva no japa... e assim vai, até você enlouquecer. Vai encarar?!

## A *crush* de Aquário

A namorada aquariana é antenada e gosta de liberdade, portanto, não é de pegar no seu pé. O problema é que a moça pode ter uma tendência a deixar você de lado e passar mais tempo com os amigos do que contigo; logo, se você for do tipo carente, está f*dido. Fora isso, quando coloca uma coisa na cabeça dura dela, nada a faz mudar de ideia; ela é do contra e vai te enlouquecer com isso. Mas não tem problema, isso vai ser um charme a mais, afinal ela adora gente doida e diferente mesmo. Boa estadia no hospício para vocês.

## O *crush* de Peixes

O pisciano é romântico, sonhador e extremamente sensível. Ele criará um mundo lindo e totalmente novo para vocês, onde o amor é lei e você tem uma coroa. No entanto, para namorá-lo você precisará do poder mágico do "viagini in maionesinum", do latim "viajar na maionese". Ele vive num mundo paralelo e, se você não entrar na dança, pode sentir que está numa relação platônica com um gnomo, duende, fada – piscianos são tão delicados... – ou qualquer outro ser mágico de sua preferência. Conselho para você que namora um pisciano: compre uma buzina e utilize sempre que precisar dele no mundo real, para resolver algum aspecto prático. Simples, barato e muitíssimo eficaz!

## A *crush* de Peixes

A namorada de Peixes é romântica, distraída e tem uma imaginação surpreendente. Ela vai te assustar inicialmente, porque virá com aquele papo de destino, alma gêmea, "amor escrito nas estrelas", vai querer ler sua mão, fazer seu Mapa Astral e essas "baboseiras" todas. Depois de um tempo, você vai se pegar entrando no embalo e consultando tarólogos para cada decisão séria da sua vida, selecionado até a cor ideal da cueca (ou calcinha) para cada dia da semana. Enfim, muito axé para vocês.

> Nota: os estudos astrológicos que determinam a dinâmica de um relacionamento e como o casal se enxerga são chamados Carta Composta e Sinastria Amorosa, respectivamente.

**Capítulo 20**

# Os Signos na Entrevista de Emprego
## Como cada um responde às perguntas do recrutador

Quando somos candidatos a uma vaga de emprego, é nossa missão abusar do marketing pessoal para vender o que há de melhor em nós, mas como será que cada signo faz isso? Como um ariano, por exemplo, responderia à pergunta "Por que você merece esta vaga?" Ou "Onde você se vê daqui a alguns anos?" E um taurino? Descubra a seguir a resposta para algumas dessas perguntas.

## O ariano na entrevista de emprego

Ao ser questionado sobre onde se vê nos próximos cinco anos, o ariano respondeu rapidamente:

– Na presidência, é claro. Na realidade, esse é o meu plano para o próximo ano. Afinal, em cinco anos, minha pretensão é já ter aberto filiais da nossa empresa em mais de 50 países. Se o senhor me deixar começar agora, verá que todo esse processo pode ser feito muito rapidamente!

## O taurino na entrevista de emprego

Ao ser questionado sobre o motivo pelo qual se sentiu interessado pela vaga, o taurino respondeu:

– Sempre sonhei em ter um vale refeição de R$40,00. Os restaurantes nos arredores da empresa são bons?

## O geminiano na entrevista de emprego

– Que vantagens só você pode oferecer à nossa empresa?

– Tenho informações confidenciais QUENTÍSSIMAS sobre a concorrência, mas só compartilho se vocês me contratarem.

## O canceriano na entrevista de emprego

– Como você lidaria com um cliente contrariado?

– Olha moço, da última vez que isso aconteceu, eu chorei. Não entendo por que as pessoas precisam ficar tão irritadas! Eu só estava tentando ajudar. Já estava passando por um período difícil. Minha mãezinha, que Deus a tenha, tinha falecido fazia apenas seis anos. Eu não estava pronto para lidar com tamanha tensão.

## O leonino na entrevista de emprego

– Por que devo contratá-lo?

– A pergunta correta é: por que eu deveria trabalhar para você? Qual a sua formação? Não estou certo se você é qualificado para me entrevistar. Será que eu não poderia falar com o CEO?

## O virginiano na entrevista de emprego

– Quais eram os hábitos que mais o irritam nos seus colegas de trabalho?

– Odiava quando eles comiam à mesa. O barulhinho da mastigação era extremamente irritante e me desconcentrava. Também odiava quando marcávamos uma reunião para às 14h e o Cleyton se atrasava porque passava de mesa em mesa pra conversar com os colegas depois do almoço. Aquela empresa era uma sucessão de erros. O diretor estava sempre com a camisa amarrotada. O ar condicionado nunca era higienizado. Não havia planejamento. Os arquivos eram uma bagunça! Não pude suportar viver em meio à tamanha desorganização.

## O libriano na entrevista de emprego

– Descreva-se.
– Sou extremamente educado, tenho bom relacionamento interpessoal e… você já viu a minha gravata? É digna desta vaga, não acha? E aquela moça bonita que estava na recepção, vai trabalhar conosco?

## O escorpiano na entrevista de emprego

– Descreva-se.
– Por quê? Não acha essa pergunta muito indiscreta? Tudo o que vocês precisam saber está no meu currículo.

## O sagitariano na entrevista de emprego

– O que o motiva a se levantar da cama todos os dias?
– Aquela cachacinha com os amigos no "churras" de final de semana. claro! Costumo dizer que trabalho pra ser feliz, pra pagar aquela escalada com os amigos no feriado, para viver experiências espirituais malucas na Índia… E você, o que o motiva? Você está se sentindo vivo, cara? A vida é mais que trabalhar 24/7!

## O capricorniano na entrevista de emprego

– Você trabalharia 40 horas ou mais por semana?
– Quarenta horas? Nenhum vencedor trabalha só 40 horas. Minha filosofia de vida é: "Treine enquanto os outros dormem, estude enquanto os outros se divertem, persista enquanto os outros descansam, e então, viva o que os outros apenas sonham". Estou disposto até a usar fraldas, se isso me fizer ganhar tempo e chegar ao objetivo final.

## O aquariano na entrevista de emprego

– Conte-me sobre alguma vez em que você discordou do seu chefe.
– Teve aquela vez em que ele me pediu para assinar um contrato com um fornecedor milionário e eu me recusei, porque achei um ABSURDO ignorar os fornecedores locais para enriquecer mais um burguês de merda. Também teve aquela vez em que, numa

confraternização, a empresa usou cartelas de bingo feitas de papel que não eram biodegradáveis. Sempre achei que o meu chefe deveria abrir mão do lucro e fundar uma ONG, para realmente contribuir com uma sociedade melhor. Foi por isso que saí de lá e por esses motivos estou processando a empresa.

## O pisciano na entrevista de emprego

– Por que motivo você saiu do seu último emprego?

– Eu me esqueci de ir a algumas reuniões. Também me esqueci de ir trabalhar algumas vezes. Mas não foi por mal, juro. Aliás… é um problema muito grande se eu disser que me esqueci de trazer o currículo também?

# Capítulo 21

# Alguém Morreu
## Como cada Signo dá uma Notícia Dessas?

Ser portador de más notícias não é tarefa fácil, mas para alguns signos pode ser ainda mais difícil. A seguir, veja como cada signo diz que alguém morreu e saiba a quem designar a tarefa da próxima vez que alguém bater as botas.

## Áries

Apressado, o ariano dá a notícia sem saber que foi o primeiro saber:

– Mel, você está muito bem para uma viúva.
– Mas eu não sou viúva.
– Bem...Agora é, seu marido faleceu há meia hora.

E sai correndo.

## Touro

Objetivo, mas preocupado em amparar a família, o taurino diz:

– Fulano morreu. Você pode me representar no velório esta madrugada? Quero dar apoio à família, mas não posso perder uma noite de sono. Já preparei café, chá e biscoitinhos para você levar.

## Gêmeos

Conectado, publica a notícia nas redes sociais:

– Fulano morreu. Me contaram que ele estava furando uma parede em casa e, *puft*, bateu as botas. Vocês sabiam que ele era casado e tinha um caso com a vizinha?... Isso, aquela que jogou as roupas do ex-marido pela janela. A propósito, ele também morreu. Assim que tiver mais novidades, atualizo vocês.

## Câncer

Sensibilizado pela morte – mesmo que seja de um desconhecido, o canceriano comunica aos prantos:

– Tenho uma notícia importante, mas não sei como contar. Acho melhor você se sentar (chora mais). Vou pegar uma água com açúcar para nós dois. Ele era tão... (Buáááá!), você se lembra quando ele trouxe aquela lembrança de Israel para nós? Sim, ele faleceu. (Buáááá!) Como podemos honrar a memória dele? Ahhh, Senhor, me leve com ele!

## Leão

Solícito, mas egocêntrico demais para ser um bom portador de más notícias, o leonino diz:

– Porque EU sou um amigo muito próximo da família, estou entrando em contato para avisar que, infelizmente, fulano faleceu. EU já preparei uma linda apresentação em homenagem a ele – uma performance maravilhosa, você precisa ver o figurino –, por isso gostaria de convidá-lo para o show... digo, velório, que acontecerá às 18h. Por favor, confirme seu comparecimento. Estou chamando apenas VIPs.

Ah... não chore, fulano morreu, mas EU estou aqui!

## Virgem

Prático, mas solícito, o virginiano entra em contato com as pessoas da lista previamente preparada por ele e diz:

– Estou entrando em contato para informar que, em decorrência de uma doença rara gravíssima, uma consequência infeliz de maus hábitos ao longo de toda a vida, fulano morreu. Já providenciei os trâmites para o velório e o enterro. Você só precisa estar lá às 19h em ponto.
– Poxa, Odair... sinto muito. Nos vemos lá, então.
– Eu, infelizmente, não estarei presente. Estou cuidando das questões práticas, mas não quero me aproximar do corpo para evitar qualquer tipo de contaminação.

## Libra

Preocupado com a companhia e o visual, o libriano entra em contato com o melhor amigo e manda:

– Carlos, ficou sabendo? Fulano morreu. Você poderia me acompanhar no velório? Quero dar uma força para a família, mas acho que não conseguirei sozinho. Outra coisa: qual será o *dress code* para esse evento? Será que meu casaco preto de paetê é ofensivo?

## Escorpião

Vestindo preto – nada novo ao sul do Equador –, o escorpiano mantém sua cara de enterro de sempre, reúne as pessoas mais próximas e, discreto, diz:

– Fulano morreu, mas não chorem. Logo seremos nós.

Depois, discorre sobre a morte, citando detalhes vívidos, e filosofa sobre como a vida é efêmera. Se não gostava do falecido, diz com desdém:

– Já foi tarde. Não valia nada mesmo!

## Sagitário

Rindo de nervoso, o sagitariano sem-noção dá a notícia do falecimento sem pensar muito, daquela forma conhecida sobre com o seu gatinho subiu no telhado, caiu e morreu.

– Sabe o aquele seu primo, o João? Você tá ligada que era amigão meu, né? Então, parece que não tá muito bem. Na realidade, fiquei sabendo que ele foi dessa para uma melhor. Tipo... bateu as botas, foi para o beleléu, para a cidade dos pés juntos, virou presunto mesmo. "Mórrreeeu"! Mas faz parte da vida, né? E acho que ele não iria querer que a gente ficasse chorando pela morte dele. O João era um cara pra cima, ajudava todo mundo. Um cara que tinha uma super *vibe*. Acho que precisamos fazer um velório bem alegre, afinal, ele era alegre. Você acha ofensivo? No México é supernormal.

## Capricórnio

Respeitoso, entra em contato com as pessoas para convocá-las para o velório:

– Liguei só pra avisar que fulano faleceu e espera-se que você compareça ao velório, que será às 19h, no Cemitério da Paz. Não se atrase. Ouvi dizer que a família gastou uma fortuna, então, tratei de fazer eu mesmo um seguro funeral, para que ninguém se desestabilize financeiramente quando eu morrer. Faça isso também e, por favor, quando chegar lá, não chore no meu ombro.

Durante o velório, o capricorniano fica se perguntando como será dividida a herança.

## Aquário

Desconfiado e rebelde, o aquariano rejeita a morte e cria uma teoria da conspiração:

– Dizem que fulano morreu, mas acho que foi abduzido por alienígenas. Ou talvez ele simplesmente seja do tipo Elvis... não morreu, mas cansou da sociedade. Porque, francamente, essa sociedade está à beira do abismo, viu? Ninguém liga mais para nada. Ninguém se manifesta. Os criminosos estão à solta. Fico indignado.

## Peixes

Místico e sensível, o pisciano diz:

– É com muito pesar que anuncio que nosso estimado fulano passou para o outro plano. Tenho certeza – em nome de Jesus, Alá e a Nossa Senhora dos Piscianos – que ele será muito bem recebido no outro plano, e, para ajudar na passagem, eu trouxe um incenso especial. No velório, eu gostaria que todos entoássemos juntos o mantra "Om Gam Ganapataye Namaha".

# Capítulo 22

# O Divórcio de cada Signo
## Saiba como cada um aprendeu a dizer adeus!

Relacionamentos são complicados e o famoso "felizes para sempre" pode durar bem menos do que o esperado. A seguir, veja como cada signo diz adeus e prepare seu psicológico para um possível fracasso amoroso.

## Áries

Depois de uma briga homérica e bons xingamentos, o ariano diz aos gritos:

– Essa situação está insustentável! Não aguento mais você e não vai ter volta!

Então, num arroubo emocional, pega suas coisas e sai batendo a porta. No dia seguinte, depois de baixada a poeira, ele reflete e se arrepende, mas não volta atrás para não dar o braço a torcer. O baixo astral dura apenas alguns segundos – tempo necessário para que o ariano encontre outra paixão arrebatadora.

## Touro

Como o bom animal ruminante que é, o taurino é capaz de sustentar um relacionamento ruim por muito tempo, mas, uma vez decidido, ele convoca um jantar e manda a real:

– **Você me obriga a dividir a comida e tira a minha paz. Quero sossego. Acabou!**

Cumprida a missão, ele volta pra casa preparado para um luto que inclui cair numa fossa daquelas, com direito à música romântica cafona e potes e mais potes de sorvete, ou caixas e caixas de pizza, dependo da fome. Embora sinta saudade do sexo cotidiano, o taurino nunca volta atrás.

## Gêmeos

Hesitante, o geminiano chama o parceiro para uma conversa – que certamente vai levar mais tempo que o esperado e diz:

– **Há algum tempo venho pensando sobre o nosso divórcio. O que você acha? Queria debater essa questão racionalmente.**

E, depois de debater cada ponto cuidadosamente, decide que não tem as informações necessárias para decidir e continua casado – mas pulando a cerca de vez em quando.

## Câncer

Antes de decidir pelo divórcio, o canceriano passa dois anos fazendo chantagem emocional e jogando na cara do parceiro todas as suas mazelas. Depois, renascido das cinzas (ou não), finalmente diz aos prantos:

– **Estou terminando nosso casamento, mas a culpa é sua. Todo o sofrimento que o divórcio causará em seus filhos quem iniciou foi você, em 1998, naquela festa em que você...blá, blá, blá....**

E fim. O parceiro que se vire para lembrar o que o canceriano nunca esqueceu.

## Leão

Orgulhoso, o leonino não aceita o fato de ter um relacionamento fracassado e faz de tudo para sair por cima, desmoralizando o parceiro idiota que o perdeu:

– **Não te amo mais. Esse relacionamento não está à minha altura e o sexo é ruim. Você não vai querer ficar com alguém que não quer nada com você, né?**

Depois, faz questão de dizer a todos que foi ele quem terminou o relacionamento e que o parceiro implorou para voltar, mesmo que não tenha implorado.

## Virgem

Cansado do parceiro, o virginiano se consulta com um psicólogo, estrutura a decisão em sua cabeça, procura um advogado, lista todas as mancadas e defeitos do outro para ter argumentos e, depois de ter certeza do que está fazendo, estende o papel do divórcio e diz:

– **Já providenciei tudo, é só assinar.**

## Libra

Indeciso sobre sua própria infelicidade, mas com o intuito de garantir que o ex não se negue a ser um dos seus "peguetes", em caso de solidão futura, o libriano diz:

– **Eu acho que quero o divórcio. Você não acha que é melhor? Será? Então tá. Vou pensar mais um pouco.**

## Escorpião

Desconfiado de traições e cansado da falta de intensidade do parceiro, o escorpiano diz:

– **Amor, nós dissemos até que a morte nos separe. Agora você decide: você se mata ou eu te mato. E aí, o que vai ser?**

## Sagitário

Cansado da rotina do casamento, o sagitariano manda na lata, com uma passagem de avião nas mãos:

– Quero o divórcio. Estou planejando fazer um mochilão. Quero viver experiências novas e já faz um tempo que você está me empatando. Procure um guru, viaje também, torne-se uma pessoa melhor... quem sabe a gente não se pega daqui a alguns anos.

E embarca feliz e sem amarras.

## Capricórnio

Depois de fazer muitas contas e conversar com seu advogado sobre os prejuízos que lhe causarão o divórcio, o capricorniano diz:

– Este casamento fugiu do meu orçamento. Você está demitido!

## Aquário

Depois de uma crise existencial sobre seu papel na sociedade, o aquariano decide mudar de vida e diz para o parceiro:

– Acho que é melhor nos divorciarmos. Decidi partir numa missão humanitária. O que acha de sermos apenas amigos?

## Peixes

Culpado e aos prantos, o pisciano diz:

– É melhor terminarmos. Não me lembro bem o motivo que me levou a esta conclusão, mas sei que não é fácil conviver com alguém que sempre esquece as coisas e sempre está com a cabeça na lua...

E, no dia seguinte, logo após o divórcio, o pisciano acorda achando que tudo não passou de um sonho.

**Capítulo 23**

# Os Signos Depois da Fama
Cada um tem seu jeito de brilhar, qual é o seu?

Os famosos são criaturinhas peculiares, capazes de expor o melhor e o pior que existe dentro do ser humano. Nesta seção, você conhecerá as manias e ataques de estrelismo do seu signo e de todos os outros, depois de alcançar a fama. Prepare-se para os holofotes!

## Áries

Desbocado, o famoso ariano fala o que pensa e está sempre envolvido em brigas com outros famosos. Como ele não tem paciência, fatalmente será processado por agredir paparazzi em algum momento da vida.

> **Famosos que o representam:** Xuxa (que (dizem), fez pacto com o demônio em troca da fama), Roberto Carlos (famoso pela música "Quero que tudo vá para o inferno"), Lady Gaga, Quentin Tarantino (conhecido por seus filmes cheios de sangue e violência).

## Touro

O taurino famoso é conhecido pela possessividade e pelas exigências que faz nos camarins e nos bastidores das novelas. É comum vê-lo brigar por um figurino ou exigir morangos gigantes e trinta toalhas "banhão" de algodão dourado egípcio de 400 fios, por exemplo.

Perseverante, o taurino vai batalhar pelo sucesso até o fim e certamente conquistará a carreira sólida que sonhou, mesmo que demore a vida toda. Em contrapartida, por sofrer da síndrome de Gabriela (Eu nasci assim, eu cresci assim...), pode ter alguns problemas com diretores e colegas, afinal, não aceita mudanças.

**Famosos que o representam: Faustão (gordinho, serve pizza em seu programa), Penélope Cruz, Rainha Elizabeth, Rodrigo Hilbert (conhecido por ser/cozinhar gostoso) e Felipe Massa (que nunca chega em primeiro).**

## Gêmeos

Rei das revistas de fofoca, sai em todas as publicações com manchetes irrelevantes – "Astro geminiano é visto na praia da Barra segurando um copo d'água" – e gosta disso! Por estar por dentro de todas as fofocas dos bastidores artísticos, têm seus amigos na palma da mão.

Numa versão mais lapidada, também pode representar um famosinho intelectualoide, que tem opinião sobre tudo e é rei do Twitter.

**Famosos que o representam: Chico Buarque (fase intelectual engajadão), Ivete Sangalo (fala pra car*lho!), Angelina Jolie (ativista humanitária de mente moderna).**

## Câncer

Conhecido por sua sensibilidade, o famoso canceriano aparecerá na retrospectiva do Faustão chorando ao relembrar seu passado sofrido. Se ator, será rei dos papéis "água com açúcar", regados de muito drama e chororô. Se for cantor, com toda certeza cantará músicas de fossa.

Quando magoado, o canceriano famoso vai aos tabloides expor sua mágoa. Levou chifre? Chororô na revista. O diretor era cruel? Mais chororô na revista.

**Famosos que o representam: Joelma (sim, a do Calypso), Dado Dolabella, Meryl Streep.**

## Leão

O verdadeiro leonino passa a vida inteira se preparando para a fama, afinal, esse é um acontecimento que ele considera seu destino desde o berço. Quando o milagre (digo, destino) acontece, ele já está pronto, com microfone na mão e fazendo pose para as fotos.

O famoso leonino não tem paciência com quem está começando. E também não tem paciência com coadjuvantes, contrarregras, maquiadores ou qualquer pessoa que esteja abaixo dele, o protagonista (mesmo que não seja).

**Famosos que o representam: Vera Holtz (conhecida por suas manifestações artísticas excêntricas no Facebook), Caetano Veloso e Madonna.**

## Virgem

Linguarudo, o famoso virginiano é aquele que não perde a oportunidade de dar uma declaração polêmica aos repórteres – ele pode, por exemplo, manifestar sua opinião (em geral, nada boa) sobre o trabalho do coleguinha.

Plastificado, ele também é o tipo de famoso que tende a ter o rosto totalmente paralisado depois da terceira aplicação de botox. (Quem não quer ser forever young, né?)

Em geral, destaca-se pela qualidade do seu trabalho, mas não é querido pelos colegas por sua fama de cricri.

**Famosos que o representam: Luana Piovani (a rainha da polêmica), Susana Vieira (que não tem paciência com quem está começando), Amy Winehouse e Freddie Mercury.**

## Libra

O famoso libriano é aquele que arruma um casamento a cada novela de que participa. Ele também está sempre nos *brunches* e colunas sociais com um "look bapho" e a expressão *blasé* de quem sabe que pertence à *high society* e pode seduzir qualquer desavisado sendo sexy, sem ser vulgar.

Candidato a papéis de galã, o famoso libriano é o tipo de artista pouco talentoso que só chegou à fama porque é bonitinho e tem muitos contatos.

**Famosos que o representam: José Mayer (coroa pegador), Glória Menezes (atriz da velha guarda conhecida por seu casamento sem fim) e Rodrigo Faro (conhecido por ser gatinho e por juntar casais no quadro "Vai dar Namoro").**

## Escorpião

Há três coisas certas sobre a carreira de um escorpiano famoso: se for ator, ele certamente fará muitos papéis de vilão; ele provavelmente terá um advogado apenas para processar os *paparazzi* que invadirem sua privacidade; em algum momento, ele aparecerá nas manchetes devido a um escândalo sexual.

Avesso à fama, o famoso escorpiano fará tudo para preservar sua vida particular e, ao menor sinal de invasão de privacidade, acabará com a vida do paparazzo, tramando vingança. Na velhice, tende a abandonar a vida artística para aproveitar o dinheiro ganho e sua tão sonhada privacidade.

**Famosos que o representam:** Belchior (que um dia cansou de ser famoso e sumiu), Pelé (que brigou com o Maradona), Clarice Falcão (conhecida por suas músicas psicóticas), Katy Perry e Diego Maradona (que brigou com o Pelé).

## Sagitário

Sem noção, o famoso sagitariano sempre sai nas revistas de fofoca após algum vexame ou bebedeira. Nas entrevistas, só abre a boca para falar besteira ou para filosofar sobre ideias que parecem fantásticas.

Com casa em Miami, o sagitariano só vem ao Brasil para fazer eventos e pequenas participações em novelas como o comediante da trama. Irresponsável, ele também pode chegar atrasado em ensaios e gravações.

**Famosos que o representam:** Britney Spears (conhecida por raspar a cabeça, fazer check-in no chão e dirigir com seu bebê no colo), Taylor Swift (que tem sete namorados mas não gosta de nenhum), Carlinhos Brown e Miley Cyrus (mais uma famosa despirocada).

## Capricórnio

O verdadeiro capricorniano não quer saber de fama, mas de poder, e pode aproveitar os holofotes para se tornar vereador, senador, prefeito e, quiçá, presidente! Inimigo de exposição, mas amigo do dinheiro, o capricorniano sabe que a fama nada mais é que um caminho para garantir uma aposentadoria chique, num lugar afastado.

**Famosos que o representam:** Patrícia Pillar (atriz e ex-esposa de político), Renato Aragão (que brigou com o Dedé por causa da bufunfa), David Bowie (o camaleão do rock e um dos capricornianos mais cool que já passaram por este planeta) e Jô Soares (cujo humor é bom demais para ser capricorniano).

## Aquário

Engajadão, o aquariano faz uso da fama para espalhar pelo mundo seus ideais revolucionários. Politizado, porém rebelde, faz declarações contra o governo sem medo de ser feliz e não hesita em participar de debates e mesas redondas em programas *cult*. Adora fazer personagens polêmicos, que representem um tabu para a sociedade. Se for cantor, certamente já fez cover de "Viva a Sociedade Alternativa".

**Famosos que o representam:** Oprah Winfrey (uma das maiores filantropas de todos os tempos), Marcelo Camelo (conhecido por dar trabalho aos jornalistas com suas respostas difíceis) e Neymar (astro da bola cujos cortes de cabelo não poderiam ser mais aquarianos/esquisitos).

## Peixes

O famoso pisciano canta, dança, representa, pinta com os dedos e faz questão de viver "das coisas que a terra dá". Viajandão, ele fala por parábolas em suas entrevistas e tem um jeito peculiar de se vestir, mas ninguém questiona isso porque ele é um puta artista.

Desapegado das coisas terrenas, ele não se importa com a fama. O importante é ser feliz, reverenciar Jesus (Krishna, Júpiter, gnomos ou qualquer outra criatura em que o pisciano poderá se agarrar para continuar tendo fé na vida) e colorir o mundo.

É comum ver depoimentos de piscianos que ficaram pobres depois da fama e aparecem em programas decadentes para dizer como a vida foi injusta e os amigos da época de fama o abandonaram.

**Famosos que o representam:** Elke Maravilha (que foi enganada pelo marido que queria ser pai e tomou pílula de farinha achando que era anticoncepcional), Jon Bon Jovi (conhecido pelas músicas melosas), Mara Maravilha (apresentadora infantil religiosíssima) e Rihanna (que nunca nega uma beiradinha de "umbrella, ella, ella, êêê" para ninguém).

# Considerações Finais

## Como sair da *bad* estudando mais astrologia como forma de autoconhecimento

Querido leitor,

Agora que você já sabe tudo aquilo que não queria saber sobre o seu signo e chegou até o final deste livro sem ouvir "All by myself" da Mariah Carey (cancerianos não conseguiram, mas estão perdoados), é porque está pronto para encarar seus pontos fracos e embarcar em uma jornada rumo ao autoconhecimento. Sendo assim, o que acha de sair da *bad* com dignidade, descobrindo mais sobre como a Astrologia pode ajudá-lo a melhorar?

Se você quiser, essa ciência permitirá que você desvende os mistérios dos relacionamentos (por meio de sinastrias amorosas e mapas compostos); que encontre um objeto perdido (por meio da técnica horária); que preveja os eventos mais importantes que ocorrerão dali a um mês ou um ano (por meio do mapa lunar ou solar) e, principalmente, que saiba mais sobre você mesmo.

Foi através da Astrologia, por exemplo, que eu tomei ciência da minha dificuldade em terminar as coisas e busquei atalhos para finalizar este livro. Também foi através dela que aprendi a usar meus planetas nos signos de Terra para concretizar meus sonhos.

E você? O que já descobriu ao ler este livro e estudar seu mapa astral? Caso ainda não esteja certo do que precisa mudar, seguem algumas dicas:

- Arianos deveriam fazer aulas de meditação.
- Taurinos deveriam tirar do guarda-roupa as peças que não servem mais para doá-las.

- Geminianos não deveriam contar nada a ninguém quando lhe pedem segredo.
- Cancerianos deveriam esquecer de vez aquilo que os magoou.
- Leoninos deveriam aprender a exaltar o outro em vez de si mesmos.
- Virginianos deveriam aceitar as coisas como são e deixar seus quadros tortos.
- Librianos deveriam sair sozinhos e ficar felizes com isso.
- Escorpianos não deveriam olhar os outros com tanta suspeita.
- Sagitarianos deveriam assumir suas responsabilidade, sem querer fugir para o Havaí.
- Capricornianos deveriam fazer uma doação a quem precisa e ouvir um amigo que está na *bad* de coração aberto.
- Aquarianos deveriam ouvir a opinião alheia pelo menos uma vez sem contestar.
- Piscianos deveriam colocar os pés no chão e aprenderão a ver o lado bom da realidade.

Para mim – cheia de planetinhas em Libra –, o segredo é buscar o equilíbrio e, quando tudo desandar, olhar para o seu signo oposto. Depois é só procurar um profissional capacitado, compartilhar com ele suas dúvidas e se preparar para percorrer um caminho cheio de encantos e surpresas. Caso queira estudar sozinho, você também pode examinar a bibliografia recomendada deste livro, para aprender ainda mais sobre esse universo. Ali você encontrará referências sérias e nada depressivas para aprofundar seus conhecimentos e, quem sabe, tornar-se um astrólogo. Ah, e você também pode procurar uma escola de Astrologia para ser orientado por mestres que, certamente, mudarão sua forma de ver o mundo. A escolha é sua, o importante é que você não pare por aqui.

Espero que tenha gostado deste livro e que ele seja o começo de um longo relacionamento com os astros. Obrigada por rir comigo e, como diria minha avó, "desculpa qualquer coisa". Espero que você não tenha levado a mal as minhas críticas virginianas e que, como eu, tenha se apaixonado pela arte da Astrologia.

Beijos chaturninos. Nos vemos em breve,
Astrólogo Depressivo

# Apêndice

# Como Interpretar seu Mapa Astral

## Aspectos

Um aspecto nada mais é que um ângulo formado pela conexão dos planetas num mapa astral. Através dos desenhos formados por essas conexões, é possível compreender com mais clareza aspectos internos e específicos entre os planetas conectados.

Há ângulos de tensão, ângulos de facilidade, ângulos complementares e cada um deles influi diretamente no comportamento de cada planeta. Conheça os principais ângulos possíveis entre os planetas e compreenda sua importância na interpretação de um mapa.

## Quadratura

Quadraturas são aspectos de tensão considerados maléficos e acontecem quando dois planetas estão a 90 graus de distância um do outro e têm o mesmo "ritmo": signo mutável x signo mutável, signo cardinal x signo cardinal e signo fixo x signo fixo.

Para compreender uma quadratura, imagine como seria o relacionamento entre duas pessoas completamente diferentes que tendem a se anular ou se rejeitar devido à diferença óbvia de suas características. Não parece bom, não é? Embora duas pessoas – e dois planetas – muito diferentes possam somar características em prol de seu desenvolvimento pessoal, a reação imediata é a de rejeição, e é assim que opera uma quadratura.

## Sextil

O sextil é um aspecto de ajuda que ocorre entre planetas e os signos dos elementos Água e Terra e signos dos elementos Ar e Fogo quando estão a 60 graus de distância - daí o nome "sextil". Isso acontece, porque essas duas duplas têm uma maneira similar de ver o mundo, sendo Água e Terra elementos considerados introspectivos (Yin) e Ar e Fogo considerados extrovertidos (Yang).

Em geral, esse aspecto é sentido pelas pessoas como algo harmonioso, já que os planetas colaboram com o propósito uns dos outros.

## Trígono

Um trígono é caracterizado quando há dois planetas em uma distância de 120 graus ou em casas do mesmo elemento. Tradicionalmente, atribuímos ao trígono a natureza de Júpiter (planeta benéfico, de ordem expansiva e facilitadora).

Numa interpretação, o trígono é considerado um aspecto positivo e facilitador, justamente porque os signos de mesmo elemento interagem de maneira harmoniosa, unindo forças. No entanto, apesar da harmonia do trígono, é importante pensar que, em excesso, esse aspecto pode resultar em pessoas otimistas demais. Isso funciona da seguinte maneira: aquele que está habituado às facilidades dessa angulação pode tornar-se acomodado, esforçando-se menos para desenvolver suas potencialidades que os que possuem muitas quadraturas, por exemplo.

## Oposição

A oposição ocorre quando, no mapa, há dois planetas a uma distância de 180 graus e, portanto, em signos opostos.

Numa interpretação, podemos analisar a oposição de duas formas: a primeira diz respeito ao conflito, duas forças que agem com objetivos opostos e criam um desafio. A segunda – um pouco mais otimista – diz respeito ao ajuste que dois planetas com características diferentes precisam fazer para unir forças e não "romper a corda". É como num relacionamento amoroso entre opostos: o casal pode somar forças – não sem fazer concessões – ou pode repelir a natureza um do outro, minando o relacionamento.

Embora a interpretação possa levar em conta o lado mais positivo desse aspecto, é importante destacar que a oposição é um aspecto maléfico ou "tenso". Mas é possível lidar com a dificuldade que esse aspecto apresenta somando forças e ajustando significados, o que exige esforço e atenção. A energia não flui de modo natural, como ocorre num trígono, por exemplo.

São signos opostos:

- Áries e Libra
- Touro e Escorpião
- Gêmeos e Sagitário
- Câncer e Capricórnio
- Leão e Aquário
- Virgem e Peixes

## OS PLANETAS E LUMIARES

Nosso mapa astral é como um concerto onde os planetas representam o estilo da música tocada. Abaixo, conheça o "ritmo" de cada planeta e lumiar e que tipo de acontecimentos cada um deles vai promover em seu mapa astral:

### Sol

O Sol representa as autoridades, a vitalidade, o poder, o ego, a autoestima, o olho direito num mapa masculino, a figura do pai e a figura do marido. Representa também o "eu interior", a essência e a busca pela individualidade. Tem seu domicílio no signo de Leão, sua exaltação no signo de Áries, seu exílio no signo de Aquário e sua queda no signo de Libra. É considerado quente e seco.

### Lua

A Lua representa a figura da mãe, o nosso humor, as reações emocionais instintivas, a nutrição, a pátria e o povo. Representa também o acolhimento, a receptividade, a busca por segurança e a mente abstrata. Tem seu domicílio no signo de Câncer, sua exaltação no signo de Touro, seu exílio no signo de Capricórnio e sua queda no signo de Escorpião. É considerada fria e úmida.

## Mercúrio

Mercúrio representa a nossa capacidade de captar um estímulo e transformá-lo em informação. Representa também o cérebro, o raciocínio lógico, a comunicação, a escrita e a fala. Tem seu domicílio nos signos de Gêmeos e de Virgem, sua exaltação no signo de Virgem, seu exílio no signo de Sagitário e sua queda no signo de Peixes. É considerado quente e seco.

## Vênus

Vênus representa os casamentos e uniões sexuais, a reprodução, o cônjuge, o sêmen e a habilidade de vivenciar relações harmoniosas e românticas. Representa também aquilo que gostamos, como gostamos e o que nos proporciona prazer. Tem seu domicílio nos signos de Touro e Libra, sua exaltação no signo de Peixes, seu exílio no signo de Escorpião e Áries e sua queda no signo de Virgem. É considerado frio e úmido.

## Marte

Marte representa a agressividade, a capacidade de reagir em momentos de conflito, a coragem, os irmãos, soldados, brigas, homens jovens e a violência. Tem seu domicílio no signo de Áries e Escorpião, sua exaltação no signo de Capricórnio, seu exílio nos signos de Libra e Touro e sua queda no signo de Câncer. É considerado quente e seco.

## Júpiter

Júpiter representa a expansão, a sabedoria, religiões e filosofias, longas viagens, a fé, a justiça, a sorte, filhos, fama e fortuna. Tem seu domicílio nos signos de Peixes e Sagitário, sua exaltação no signo de Câncer, seu exílio nos signos de Virgem e Gêmeos e sua queda no signo de Capricórnio. É considerado quente e úmido.

## Saturno

Saturno representa as restrições, os limites e responsabilidades, a honestidade, os valores morais, os problemas, os ossos, os velhos, os mendigos e a melancolia. Tem seu domicílio nos signos de Aquário e Capricórnio, sua exaltação no signo de Libra, seu exílio nos signos de Leão e Câncer e sua queda no signo de Áries. É considerado frio e seco.

## Urano

Urano é um planeta geracional e representa o passo inicial da sociedade na trajetória para a sua evolução mental. É considerado corregente do signo de Aquário.

## Netuno

Netuno é um planeta geracional e representa a ilusão, o escapismo, os enganos e as confusões. É considerado corregente do signo de Peixes.

## Plutão

Plutão é um planeta geracional e representa os processos regenerativos, a força psíquica e a coragem contida em todos os recomeços. É considerado corregente do signo de Escorpião.

## AS CASAS ASTROLÓGICAS

Se, no concerto do nosso mapa astral, os planetas representam o estilo da música tocada, as casas, por sua vez, representam o local da apresentação.

A seguir, conheça o "ambiente" representado por cada casa do seu mapa astral e aprenda a interpretar a presença de cada planeta de acordo com sua presença em cada casa:

## Casa I (ascendente)

A Casa I representa o "eu" e a cabeça. Representa também a personalidade, o temperamento e as características físicas do indivíduo. Uma vez que fala do nosso físico, também fala da nossa saúde. O signo posicionado nessa casa fala sobre a forma com que as pessoas percebem e suportam o mundo e sobre como se iniciam as coisas de um modo geral. O ascendente (cúspide ou início da Casa I) também pode indicar as condições do nascimento de um nativo.

## Casa II

A Casa II representa nossos patrimônios, bens, dinheiro e recursos. É através dela que avaliamos nossos lucros e prejuízos. Embora essa descrição seja voltada ao tangível, a Casa II também fala sobre nossos valores imateriais, sobre o conceito de merecimento e sobre a segurança. Para a maioria das pessoas isso significa dinheiro, mas não é necessariamente assim, afinal, outras coisas são capazes de suprir nossa necessidade de segurança e "garantia". Segundo William Lilly, a Casa II tem como cossignificadores Júpiter (indicador de fortuna caso esteja nesta casa, ou seja, regente dela) e Touro. Em algumas fontes modernas, atribui-se a regência à Vênus – planeta que fala sobre o que valorizamos – e corregência à Lua. Em ambas as fontes, atribui-se a facilidade para ganhar ou manter os bens e dinheiro aos planetas tidos como "benéficos" pela Astrologia Clássica. Um planeta "maléfico" ou tensionado dentro desta casa ou como regente dela pode resultar em avareza, dispersão de bens, ganância e escassez.

## Casa III

A Casa III representa os nossos irmãos, tios, vizinhos, primos, pequenas viagens e a comunicação. É associada à mente concreta, correspondente ao lado esquerdo do cérebro, e trata de assuntos como a fala, a análise, a memorização e a classificação de experiências. Segundo William Lilly, a Casa III tem como significadores o signo de Gêmeos e o planeta Marte – considerado menos "maléfico" nesta casa. Para a Astrologia Moderna, o regente natural é Mercúrio (associado à Gêmeos), que na mitologia era encarregado de distribuir as informações para todos os deuses. É a primeira casa na Astrologia que fala da convivência e das outras pessoas, uma vez que o ascendente representa o "eu" e a Casa II, as posses e valores (não necessariamente materiais).

## Casa IV (Fundo do Céu)

A Casa IV representa as nossas raízes, nossas bases, o julgamento que fazemos dos nossos pais e também as casas, terrenos e o cultivo da terra. Numa interpretação mais psicológica, ela representa o lugar para onde vamos quando nos voltamos para dentro de nós mesmo, daí a associação ao lar e às raízes. Há discordância sobre a atribuição dessa casa ao pai ou à mãe. Alguns acreditam que a Casa X representa a figura da mãe e a Casa IV a do pai e outros defendem o contrário, que a IV é a mãe e a X é o pai. Por conta dessa discordância, é interessante analisar caso a caso. Em geral, a casa tem características que nos permitem identificar o relacionamento com um e com o outro.

## Casa V

A Casa V é tida como benéfica, uma vez que faz trígono com o ascendente. Para a Astrologia Clássica, é a casa dos filhos e de sua relação com eles, a casa dos prazeres, dos jogos, do entretenimento, das grávidas, do sexo e da boa fortuna. É a criatividade, o que você gera e produz. Os astrólogos clássicos relacionam essa casa ao sexo, uma vez que fala sobre o prazer e a reprodução. Na Astrologia Moderna, a Casa V também está associada aos namoros e aos casos amorosos: aqui as relações são prazerosas, sem responsabilidade e antecipam a Casa VII – associada ao casamento, onde você de fato apresenta seu parceiro à sociedade e firma um contrato, no qual passa a ter responsabilidades. Como aspecta o ascendente de forma positiva, a Casa V é muito pessoal e também fala da nossa "criança interior" e da expressão alegre do ego.

## Casa VI

A Casa VI é considerada maléfica para os astrólogos clássicos, pois além de ser uma das casas que não enxerga o ascendente (não faz aspecto com o mesmo) é o júbilo de Marte, o "pequeno maléfico". Para a Astrologia Clássica, essa casa representa os servos, escravos, trabalho árduo, doenças, inimizades, a agricultura, os agricultores, o gado menor e os pequenos animais. Para a Astrologia Moderna, esta é a casa da saúde e do bem-estar, da rotina, dos seus subordinados ou empregados (uma vez que hoje não existe mais o sistema feudal e nem o escravocrata) e das tarefas domésticas. Dois dos principais temas desta casa são o trabalho e a rotina. A Casa VI aponta como os nativos lidam com sua rotina diária, como funciona o seu ambiente de trabalho, sua relação com os colegas e com o chefe. Quando o nativo é o chefe, a Casa VI fala de como se comportam seus empregados e como você se relaciona como eles. A Casa VI indica ainda como funciona a saúde (se é frágil ou não) e também pode apontar qual parte do corpo geralmente é mais afetada quando adoece. Planetas nesta casa, de maneira geral, falam da natureza do nosso trabalho, como encaramos nossa rotina e como é a nossa maneira de servir.

## Casa VII (Descendente)

A Casa VII é a primeira casa social no Mapa Natal. Aqui não estamos mais no eixo pessoal, mas sim no eixo do outro. Para a Astrologia Clássica, a Casa VII fala de casamentos, contratos, parcerias, disputas, eventos sociais, guerras, processos litigiosos e os inimigos públicos. A esses significados, a Astrologia Moderna inclui o conceito de sociedade e os relacionamentos mais estáveis de nossas vidas (não obrigatoriamente amorosos). Enquanto na Casa V as relações eram prazerosas e divertidas, na Casa VII os relacionamentos são mais estáveis. Aqui fechamos um contrato, a época da diversão acabou e assumimos o outro de forma responsável, apresentando o parceiro à sociedade – daí a associação ao casamento. Vale lembrar que "o outro" nem sempre será amistoso, sendo assim, também consideramos esta como a casa dos inimigos declarados e rivais. O signo e os planetas que caem na Casa VII falam sobre como você se relaciona, o que você espera dos seus relacionamentos e sobre o que procura e provavelmente vai encontrar em seu parceiro ou no seu inimigo. A casa fala de projeção, sendo assim, o que cai nela não percebemos em nós, mas no outro e consequentemente, é o que atraímos para nós como um reflexo.

## Casa VIII

A Casa VIII, em uma linguagem tradicional, fala sobre os bens e valores dos outros, pois opõe a Casa II (nossos valores e bens próprios) e é a segunda casa a partir da Casa VII (os outros). Além disso, a Astrologia Clássica atribui à Casa VIII a morte, últimas vontades e legados. Antigamente, era a casa que representava o "dote" de cada mulher ou o "padrinho" do adversário em um duelo. A Astrologia Moderna também considera temas desta casa os bens dos outros e a morte, mas acrescenta à abordagem clássica um tom mais "psicológico" para as questões mencionadas e o tema sexo – representado pela Casa V na Astrologia Clássica. Certa vez, perguntei a um astrólogo moderno qual era a diferença entre o sexo da Casa V e o sexo da Casa VIII e ele explicou que a Casa VIII era o fetiche, a tara, "la petite mort", enquanto o "ato carnal" era visto como pertencente à Casa V. Para os modernos, a morte da Casa VIII não é necessariamente a que nos manda para o caixão. Pode ser a morte de cada dia, que acompanha aquele significado filosófico da fênix. Apesar da diferença entre as duas linguagens, uma coisa é certa: o que se ganha com a Casa VIII não vem sem sacrifício. As heranças, por exemplo, não chegam sem a morte e para compreender os valores do outro, precisamos abrir mão – ainda que temporariamente – dos nossos.

## Casa IX

A Casa IX representa as viagens longas, as crenças religiosas, os estudos superiores e os assuntos filosóficos da vida. Segundo Howard Sasportas, é a casa dos "porquês" da nossa existência. É através da Casa IX que rompemos barreiras para ser e conhecer mais. Já notou que, quando surge a "crise existencial", geralmente procuramos os assuntos da Casa IX para encontrar um novo sentido para a vida? A crise acontece quando estamos pequenos dentro de nós mesmos. A inquietude nasce e precisamos expandir e conhecer. Para isso, é natural buscarmos uma nova religião ou filosofia de vida, ou mesmo viajar para algum lugar distante e de cultura absolutamente diferente. Precisamos "renovar" os ares e é disso que fala a Casa IX! Estudos superiores também podem ser representados por uma primeira graduação, mas não necessariamente. A Casa IX, de certa forma, fala sobre o que é inacessível – é uma barreira que precisamos romper para alcançar algo maior, para ter uma compreensão maior das coisas. Para uma pessoa muito humilde e sem recursos – que vive entre outras pessoas igualmente humildes – fazer uma faculdade é quebrar barreiras e ampliar a visão de mundo, portanto, ela vive a Casa IX! Para quem tem recursos mais elevados e vive num meio onde fazer uma faculdade é algo acessível a todos, não há quebra de barreira e não se "vive" a Casa IX. A percepção da expansão relacionada a esta casa é importantíssima.

## Casa X (Meio do Céu)

Atribui-se à Casa X a personificação dos príncipes, reis, duques e oficiais. Isso acontece porque a Casa X fala sobre a honra, o prestígio e as dignidades. Ela trata do que fazemos para nos destacar entre as outras pessoas e é ela que nos estimula a colocar ou não o bumbum na janela para receber aplausos ou vaias. A Casa X também fala sobre o trabalho, mas um bem diferente do descrito pela Casa VI. O trabalho da Casa X é aquele que fazemos para nos destacar, o que escolhemos para seguir carreira. Quando você trabalha como atendente de loja para arcar com os custos da Faculdade de Direito, você vive a Casa VI e busca a Casa X. O trabalho da Casa VI é aquele em que você serve, mas ninguém bate palma. Quando falamos de prestígio, é importante dizer que há também o desprestígio. Situações de humilhação pública, por exemplo, também podem ser relacionadas aos temas da Casa X. A relação que temos com a exposição sugerida pela casa depende muito do regente dela, dos planetas que a ocupam e aspectos que ambos sofrem. Em geral, os nativos com essa casa superpovoada tendem a buscar o sucesso e o reconhecimento.

## Casa XI

A Casa XI representa a sorte, as esperanças, o futuro, os projetos, os grupos, os benefícios e a realização de desejos. Se na Casa X temos a personificação do rei, a XI personifica o amigo do rei e seus aliados; aqueles que recebem benefícios do soberano. Por isso, é uma casa ligada à sorte e aos ganhos. Enquanto a Casa X representa a nossa profissão e nosso *status*, a Casa XI, que a sucede, representa o nosso salário, o que vamos ganhar exercendo aquela atividade que tanto almejamos. A Casa XI também fala dos nossos amigos e dos grupos de que fazemos parte. Para a Astrologia Clássica, esta casa representa os amigos mais próximos, já para a Astrologia Moderna, nesta casa estão os colegas e os amigos que não são tão próximos assim, mas que ajudam e beneficiam você de alguma forma. Os amigos íntimos seriam representados pela Casa VII, uma vez que a amizade íntima seria considerada uma parceria ou até mesmo pela Casa III, que representa nossos irmãos.

## Casa XII

A última casa astrológica, segundo fontes tradicionais, representa os inimigos ocultos, o encarceramento e a autodestruição. É a casa das tribulações, da magia negra e da tristeza. Quando alguém passa um longo período de internação num hospital, por exemplo, dizemos que está vivendo a Casa XII. O mesmo ocorre quando alguém é preso ou vai para um retiro espiritual. O isolamento é assunto da Casa XII, sendo ele voluntário ou não. Para a Astrologia Moderna, a Casa XII é a casa da espiritualidade, da dissolução do ego individualizado para a fusão com algo maior. Aqui o isolamento também é mencionado, mas de forma poética: é o isolamento que vem com o objetivo de transcender. Embora utilizem linguagens diferentes, a Astrologia Clássica e a Moderna entendem que a Casa XII fala sobre o inconsciente. O que é o inconsciente, senão a ausência de controle sobre as situações e até sobre nossos atos?! Além dos temas acima, a Casa XII também fala sobre o sacrifício.

# Bibliografia Recomendada

# Astrologia Geral

Castro, Maria Eugenia de. Astrologia, uma Novidade de 6000 anos. Rio de Janeiro: Nova Fronteira, 2007.

Farenbrother, Merly, Sue. Astrologia sem Segredos, São Paulo: Editora Pensamento, 2015.

Jr, Edward O. Hammack. Livro Completo de Astrologia Prática. São Paulo: Editora Pensamento, 1986. (Fora de catálogo).

March, Marion D.; McEvers, Joan. Curso Básico de Astrologia – Vol. 1, São Paulo: Editora Pensamento, 1988. (Fora de catálogo).

_____. Curso Básico de Astrologia – Vol. 2, São Paulo: Editora Pensamento, 1988. (Fora de catálogo).

_____. Curso Básico de Astrologia – Vol.3, São Paulo: Editora Pensamento, 1988. (Fora de catálogo).

Ribeiro, Anna Maria Costa. Conhecimento da Astrologia – Manual Completo. Rio de Janeiro: Novo Milênio, 1996.

## Relacionamentos

Arroyo, Stephen. Astrologia dos Relacionamentos Íntimos. São Paulo: Editora Pensamento, 2010. (Fora de catálogo).

## Casas Astrológicas

Sasportas, Howard. As Doze Casas. São Paulo: Editora Pensamento, 1988. (Fora de catálogo).

## Mitologia

Greene, Liz. Astrologia Mítica. São Paulo: Editora Pensamento, 2015. (Fora de catálogo).

Sicuteri, Roberto. Astrologia e Mito. São Paulo: Editora Pensamento, 1994. (Fora de catálogo).

## Planetas

Miller, Susan. Planetas e Possibilidades. São Paulo: Best Seller, 2011.

Volguine, Alexandre. Astrologia Lunar. São Paulo: Editora Pensamento, 1993. (Fora de catálogo).

Yott, Donald E. Planetas Retrógrados e Reencarnação. São Paulo: Editora Pensamento, 1991. (Fora de catálogo).

## Signos

Castro, Maria Eugenia de; Figueira, Luiz Augusto P. A; Bevilaqua, Paula Dornelles. O Livro dos Signos. São Paulo: Saberes Editora, 2011.

# Referências Bibliográficas

Castro, Maria Eugenia de. Astrologia, uma Novidade de 6000 Anos. Rio de Janeiro: Nova Fronteira, 2007.

Castro, Maria Eugenia de; Figueira, Luiz Augusto P. A; Bevilaqua, Paula Dornelles. O Livro dos Signos. São Paulo: Saberes Editora, 2011.

March, Marion D.; McEvers, Joan. Curso Básico de Astrologia. São Paulo: Editora Pensamento, 1988, 3 vols. (Fora de catálogo).

Marshal, Peter. A Astrologia no Mundo. Rio de Janeiro: Nova Era, 2006.

Miller, Susan. Planetas e Possibilidades. São Paulo: Best Seller, 2011.

Sasportas, Howards. As Doze Casas, São Paulo: Pensamento, 1988. (Fora de catálogo).

Zerner, Amy; Farber, Monte. Os Segredos do Signo Solar, São Paulo: Pensamento, 2017.